Życie oddać i duszę

Marina
MAYORAL
Życie oddać i duszę

przełożyła
Marta Szafrańska-Brandt

Warszawskie Wydawnictwo Literackie
MUZA SA

Tytuł oryginału: *Dar la vida y el alma*
Projekt okładki: *Maryna Wiśniewska*
Redakcja: *Maria Mirecka*
Redakcja techniczna: *Sławomir Ćwikliński*
Korekta: *Anna Sidorek*

ISBN 83-7079-703-2

Warszawskie Wydawnictwo Literackie
MUZA SA
Warszawa 2005

Mocno wierzyć, że piekło cząstkę nieba chowa,
życie oddać i duszę na złudzenia pastwę:
oto miłość. Wie o tym, kto jej zakosztował.

Lope de Vega, *Rimas*

Nie chcę, byś mnie opuszczał, bólu,
ostateczna formo miłości...

Pedro Salinas, *La voz a ti debida*

Jedyne życie, życie w końcu odkryte
i wyjaśnione, jedyne więc życie
rzeczywiście przeżyte – to literatura...

Marcel Proust, *Czas odnaleziony*
(przeł. Julian Rogoziński)

Dla *niego*, którego ani to bawi, ani wzrusza

I

Kiedy opowiadałam mu tę historię, byłam już właściwie zdecydowana napisać o Amelii. Jej dzieje zawsze mnie intrygowały. Uwielbiam opowiastki o wiecznej i nieodwzajemnionej miłości, ale tylko wtedy, kiedy osoby, które ją przeżywają, wydają mi się normalne. Jeśli popadają w obłęd, jak kastylijska Joanna Szalona albo córka Wiktora Hugo, nieszczęsna Adèle, zawsze nachodzą mnie wątpliwości, czy przyczyną ich szaleństwa jest miłość, czy też już przedtem były niezrównoważone psychicznie i ujawniło się to akurat w ten, a nie inny sposób. Tak więc, aby historia miłosna mnie zainteresowała, jej bohaterka musi być po pierwsze przy zdrowych zmysłach. Mówię: bohaterka, nie znam bowiem przypadku mężczyzny, który kochałby przez dłuższy czas, gdy jego uczucia nie są odwzajemnione, lub który oszalałby z miłości. W literaturze istnieją tacy, owszem, choćby mąż Emmy Bovary, że posłużę się pierwszym z brzegu przykładem. Pałał do swojej żony wielką miłością, której ona daremnie szukała u innych mężczyzn. Także bohater *Berenice* Rosalii de Castro traci rozum z miłości. Wiadomo jednak, że my powieściopisarze lubimy popuszczać wodze wyobraźni; w prawdziwym życiu nie spotkałam się z żadnym takim przypadkiem.

9

Po drugie, nie może popełniać samobójstwa. Samobójstwo to zbyt łatwe rozwiązanie. Naprawdę fascynujące wydaje mi się dopiero kochać, dzień po dniu, rok po roku, kogoś, kto nie odwzajemnia twojej miłości, porzucił cię albo jest z tobą z wyrachowania. Kochać go wbrew całemu otoczeniu, wbrew wszystkim, którzy cię przekonują, że lepiej zapomnieć, dać sobie spokój, świata nie zawiązywać, i udzielają tym podobnych rad. A w przypadku Amelii było o wiele gorzej: oznaczało nie tylko kochać człowieka, który cię zdradza – co jest do pewnego stopnia zrozumiałe i usprawiedliwione, ponieważ jeśli mężczyzna jest atrakcyjny, podoba się także innym kobietom, a mało to lafirynd chodzi po świecie, ciało jest słabe, zresztą mężczyznom wmawiano przez wieki, że jeden skok w bok jeszcze nikomu nie zaszkodził, i tak dalej... Naprawdę o wiele gorzej: znaczyło kochać tego, kto cię oszukuje, żeby ci wykraść pieniądze, i zostawia cię bez wymówki czy próby wyjaśnienia. Amelię mąż porzucił w hotelu w Paryżu podczas miodowego miesiąca, zabrawszy ze sobą całą jej biżuterię, wszystkie bagaże obojga, nawet ubrania. Za całą wyprawę została Amelii nocna koszula. Czasem miałam wrażenie, że rodzina przesadza, że Carlos przywłaszczył sobie tylko biżuterię i futra (ślub odbył się w zimie)... Ciotka Mercedes, której zawdzięczam najwięcej szczegółów, powtarzała jednak z naciskiem, ilekroć była o tym mowa: „Zostawił ją w samej koszuli...". A nie można zmieniać faktów ot tak sobie, wedle swojego widzimisię. Kiedy opisujesz autentyczne wydarzenie, musisz podejmować rozmaite wyzwania.

Rozumiem doskonale, że cała sytuacja wydaje się mało prawdopodobna, i to nie tylko jeśli wziąć pod uwagę piramidalną krzywdę, jaką jest porzucenie nieszczęsnej osiemnastoletniej dziewczyny, która ledwo opuściła dom i szkołę, lecz także dlatego, że na bezsens zakrawa tasz-czenie ze sobą tylu niepotrzebnych rzeczy – sukienek, bielizny, butów... Futra i biżuterię mógł jeszcze jakoś sprzedać, ale co miał zamiar zrobić z całą resztą? Opchnąć na bazarze? Amelia była szczuplutka i niewysoka, a o ile wiadomo, kochanki Carlosa uosabiały typ tak zwanej „prawdziwej samicy", jak mawiali mężczyźni w tej rodzinie, więc nie mógł nawet rozdać jej ubrań w prezencie. Myślę, że zabrał to wszystko, bo się spieszył. Łatwiej jest opuścić jakieś miejsce z walizkami nierozpakowanymi od poprzedniego wieczoru, niż zacząć się zastanawiać, co zabrać, a co nie. Mógł jej przynajmniej zostawić coś do ubrania, żeby miała w czym wyjść na ulicę, ale skoro postanowił zrobić to, co zrobił, jedno draństwo więcej nie miało już żadnego znaczenia.

W każdym razie należałoby wyjaśnić wiele wątków: co się stało z ubraniem, które Amelia miała na sobie w momencie przyjazdu do hotelu? Przypuśćmy, że nie rozpakowali walizek; jednak musiała położyć czy powiesić swój kostium, chyba że on ją rozbierał, rzucając wszystko gdzie popadnie, jak w filmie; biedna Amelia, sama niewinność, a Carlos taki przystojny, elegancki, uwodzicielski. Co do jego uwodzicielskiej siły wszyscy byli zgodni, nawet ci, którzy potępiali go w czambuł. Nietrudno więc sobie wyobrazić noc poślubną niewinnej dziewczyny i donżuana bez skrupułów. Na tym jednak kończy się to, co nietrudne. Wszystko inne budzi wątpliwości: czy Amelia spała tak głęboko, że nie słyszała, jak Carlos wychodzi z łóżka, ubiera się i wynosi bagaże? Co innego pójść cichutko do łazienki, a co innego ogołocić – w pełnym tego słowa znaczeniu – cały pokój. Niektóre osoby w tej rodzinie mają naprawdę wyjątkowo twardy sen. Moją kuzynką trzeba solidnie potrząsać, żeby ją obudzić

– wszystkie budziki na nic – i chyba jedna z sióstr babki też potrafiła tak mocno spać. To mogła być upajająca noc miłości i Amelia czuła się padnięta. A może ją upił? Albo zaaplikował jej środek nasenny? Co jest bardzo prawdopodobne, bo przecież musiał mieć już wcześniej wszystko zaplanowane. Tak czy owak, pozostaje pytanie najważniejsze: dlaczego do porzucenia dołożył ośmieszenie? Dlaczego zostawił ją w noc poślubną i bez ubrań?

Przez dłuższy czas obawiałam się, że nie zdołam opisać historii – do której wciąż wracam myślami – ponieważ nie potrafię zrozumieć motywów Carlosa. Z ciekawości zaczęłam drążyć głębiej, choć na pewno była to tylko chłodna ciekawość, bez krzty zaangażowania, taka, jaką odczuwasz, kiedy pochłaniasz kryminał, w którym na końcu wszystko się wyjaśnia, albo rozwiązujesz krzyżówkę czy układasz puzzle. Udało mi się zgromadzić pewne fakty i opinie, rzucające światło na całą sprawę. W pierwszej chwili skłonna byłam przypuszczać, że w grę wchodzi zemsta, nie tylko na Amelii, ale na całej rodzinie – naszej, która zafundowała dziewczynie małżonka z wyższych sfer, i jego własnej, która, gdy stracił majątek, popchnęła go do tego małżeństwa, aby mógł utrzymać dotychczasowy poziom życia. Ciotka stwierdziła kategorycznie, że nie, nikt go nie zmuszał – sam wybrał Amelię spośród innych dziewcząt, o które się mógł starać, z bogatych mieszczańskich rodzin. I dodała: „Aż tak nie kombinował”. Jakby sugerowała, że tym, kto kombinuje, jestem ja.

Ciotka Mercedes uważała po prostu, że nie zostawił jej ubrania, żeby uniemożliwić jej wyjście z pokoju i zgłoszenie kradzieży. Nie potrafiła tylko zrozumieć, dlaczego Carlos porzucił Amelię w ten sposób, skoro wiadomo było, że mógł wyciągnąć od niej o wiele więcej pieniędzy, gdyby został.

Ciotka Malen, która zawsze musi być innego zdania niż reszta rodziny, wyraziła przypuszczenie, że Carlosa spotkała w noc poślubną przykra niespodzianka: że Amelia nie była dziewicą albo miała jakiś defekt fizyczny czy dolegliwość, którą przed nim ukryto. I że historia z kradzieżą walizek stanowiła tylko zasłonę dymną, rozpostartą przez naszą rodzinę dla zatuszowania całej sprawy. „Przypomnij sobie – dorzuciła – czego to nie wymyślano, kiedy Nacho wyprowadził się do przyjaciela: a to że go omamiła sekta, a to że zaczął brać narkotyki... Wszystko, żeby tylko nie przyznać się, że jest no, wiesz, homo".

Szukałam dalej faktów, aż wreszcie zdałam sobie sprawę, że właściwie ten aspekt historii najmniej mnie interesuje. Nie obchodziły mnie motywy, którymi kierował się Carlos; w rzeczywistości stanowiły jedynie pretekst, żeby nie pisać o czymś, co nie dawało mi spokoju i, nie wiadomo dlaczego, bardzo angażowało.

W pewnej chwili zaczęła się już dla mnie liczyć tylko moja własna fascynacja wydarzeniami, z którymi na pozór nie miałam nic wspólnego. Brzmi to niesłychanie narcystycznie czy neurotycznie, ale jest zjawiskiem częstym. Niemal zawsze piszemy po to, aby stawić czoło własnym wizjom i wyegzorcyzmować je. Musiałam zrozumieć, dlaczego wciąż wracam do tej historii, a był na to tylko jeden sposób: opisać ją, uwolnić wszystko, co poruszyły we mnie dzieje Amelii, wewnętrzne pokłady nieogarnione rozumem, wypływające na wierzch niepowstrzymaną rzeką, gdy tylko zaczyna się pisać. Tak więc zdecydowałam się. I kiedy już miałam przystąpić do pracy, powiedziałam *mu*: wiesz, chcę napisać o czymś, co zawsze mnie fascynowało. Tak? A co to takiego? Opowiadam *mu*, a *on* na to: phi, cóż w tym ciekawego, historia dla pensjonarek.

Naturalnie zgasił mnie, niemniej odpowiedziałam spokojnie, że nie ma tematów zastrzeżonych dla tej czy innej epoki i wszystko zależy od sposobu ich przedstawienia. Przyznał mi rację, nie omieszkał jednak zauważyć, że gdyby wszystko wydarzyło się nie w tamtym środowisku i nie na początku dwudziestego wieku, tylko współcześnie, Amelia odeszłaby z tym drugim, z Enrique, i byłby święty spokój. I że cały ten smrodek wokół wiary, presji społecznej, rodziny, sytuacji dziewczyny bez zawodu, zależnej ekonomicznie, choć bogatej, owo maskowanie czy tuszowanie namiętności do męża łachmyty – zalatuje dziewiętnastym wiekiem. Tak samo wątek Enrique, ambitnego i dziarskiego chłopaka, zakochanego w Amelii, który wiedząc, że jego miłość jest bez szans, żeni się z inną, piękną i bogatą, chociaż wciąż żywi głębokie uczucie do Amelii... Summa summarum, stwierdził, wszystko to razem myszką trąci i absolutnie go nie interesuje. Mówił to w taki jakiś sposób, nie wiem, ubrany w tę modną koszulę, spodnie, zawsze na topie – a ja, ze swoją bluzeczką i spódnicą, którą spokojnie mogłaby włożyć moja babka... Raptem mnie również przyszła na myśl powieść w odcinkach, drukowana w brukowym czasopiśmie.

Zdałam sobie sprawę, że zrobiłam głupstwo, rysując *mu* całą historię tak skrótowo, po łebkach. Tylko z wierzchu wygląda bowiem jak romans z brukowca; głębiej natomiast pulsuje w niej to, co jest jednakowe w każdej epoce – uczucia. Pomyślałam też jednak, że nawet uczucia zmieniają się wraz z epoką, bo współczesna dziewczyna, która zachodzi w ciążę, będąc panną, nie czuje tego samego co ta, którą wszyscy dookoła wytykali palcami jako pohańbioną. Ani mężatka, która zakochuje się w innym mężczyźnie, dziś, kiedy możliwe są rozwody, nie przeżywa tego tak samo jak sto lat temu, gdy nie było mowy

14

o żadnych rozwiązaniach prawnych. Koniec końców doszłam do wniosku, że *on* chyba ma rację i że jest to opowieść godna dziewiętnastowiecznego romansidła.

Trochę to ostudziło mój zapał, chociaż nie przestałam się interesować losami Amelii. A przy okazji, tak z ciekawości, zrobiłam sobie listę rzeczy, które mnie interesują, *jego* zaś nie, i tych, które *on* lubi, a których ja nie znoszę albo są mi najzupełniej obojętne. Wyszło tego całkiem sporo.

Ja lubię operę, przede wszystkim włoską. *Jemu* podoba się tylko Mozart i Alban Berg.

On zawsze daje kwiaty. Ja uwielbiam dostawać *marrons glacés* albo nawet zwykłe czekoladki. Byle tylko nie z likierem, takie jakie woli *on*.

On czytał kilka razy *W poszukiwaniu straconego czasu*. Ja tylko raz, i wracam jedynie do pojedynczych fragmentów.

On ubóstwia Thomasa Bernharda. Ja nie mogę go strawić.

On czyta wiersze. Tomiki, które się właśnie ukazały. Ja – powieści. I to kiedy wszyscy dookoła już je znają.

Ja kocham balet, współczesny i klasyczny. *On* nie znosi, szczególnie pantomimy, którą ja z kolei uważam za dość zabawną.

Ja lubię wypuścić się gdzieś wieczorem, przekąsić coś w knajpce przy barze i pobiec do kina. *On* woli solidną kolację w restauracji, kiedy może pogadać spokojnie z przyjaciółmi.

W niedzielę rano chętnie zaglądam do szkółki i szklarni, żeby wybrać kwiaty do domu; dla *niego* to nudy na pudy.

On pije wino do obiadu i pali, choć ostatnio przestał. Ja do posiłków piję wodę albo piwo i nie palę.

Uwielbiam szampana, zresztą zawsze uderza mi do głowy – przy drugim kieliszku robię się wesolutka. *On* ma mocną głowę. Lubię też likier Marie Brizard – *jego* zdaniem nie do przełknięcia.

On woli sztukę abstrakcyjną. Ja, jeśli miałabym wybierać, raczej figuratywną.

On śpi odkryty i niemal nago. Ja najchętniej zakopuję się w kołdrę i chociaż odpuściłam już trykotową piżamę, ciągle jeszcze zimą wkładam flanelową nocną koszulę. *On* wie zawsze, co jest supermodne. Ja dowiaduję się o tym od *niego*. Zawsze kupuję ubranie trochę za luźne, *on* – za ciasne.

Dla mnie idealny domek na lato położony byłby na urwistym brzegu morza, tak żeby było je słychać i czuć. Dla *niego* – gdzieś wśród pól, łagodnie rozciągniętych, śródziemnomorskich. Gdyby *mu* kazano mieszkać w domu, z którego widać tylko morze, chybaby skończył samobójstwem. W moim przypadku – jeślibym miała mieszkać w domku na wsi, jaki podoba się *jemu* – sprawy nie zaszłyby pewnie tak daleko.

Kiedy mnie ciągnie do Tunezji albo na Karaiby, *on* ma ochotę na Londyn lub Nowy Jork. Ja jestem szczęśliwa, poznając nowe, nieznane miejsca. *On* czuje się najlepiej, wracając kolejny raz do tego samego miasta; spaceruje tymi samymi ulicami, wstępuje do kawiarni, sklepów i zwiedza muzea, które zna na pamięć. Dla mnie przeżyciem są zabytkowe budowle, ruiny, pejzaże. *Jego* przyroda nie rusza, a jedyny zabytek, który zrobił na nim wrażenie, to Partenon pewnego lutowego dnia: padał śnieg i nie było nikogo, tylko *on* i ja.

On świetnie się czuje za kierownicą. Ja mam wtedy śmierć w oczach.

On lubi sobie uciąć drzemkę w fotelu. Ja nie zasnę inaczej, jak tylko leżąc. *Jemu* nie przeszkadza światło. Ja muszę spać w absolutnej ciemności. *On*, zaciągając żaluzje, zostawia szpary. Ja mam zawsze pod ręką maseczkę do przykrycia twarzy o świcie.

Ja nie mogę doczekać się lata. *On* liczy dni do jesieni. Jeśli chodzi o to, co lubimy oboje, tak na poczekaniu przychodzą mi do głowy tylko trzy rzeczy:

kochać się

oglądać obrazy Marka Rothka

pić gin Beefeater z tonikiem.

Prawdę mówiąc, niewiele tego. Wystarczyło jednak, byśmy byli ze sobą dziesięć lat i nawet czasem czuli się szczęśliwi, bardzo szczęśliwi. Niby dlaczego nie miałoby wystarczyć na kolejne dziesięć czy ile tam...

Wziąwszy to wszystko pod uwagę, można się było spodziewać, że kogo jak kogo, ale *jego* historia Amelii nie zainteresuje – mnie natomiast tak. Najrozsądniej byłoby zatem opisać ją, nie pytając *go*, co sądzi na ten temat. Nie dlatego, żebym lekceważyła sobie *jego* zdanie, ale po prostu pewnych sytuacji i tak nie da się uniknąć. Kiedy jakaś idea czy osoba obierze sobie za siedzibę twoje myśli, najlepiej pozwolić jej stamtąd ujść, bo inaczej będzie ci blokować wszystko, co robisz, i mieszać się w sprawy, które jej nie dotyczą. A jeśli będziesz usiłował stłumić w sobie ów głos, zaczniesz podejrzewać, że kieruje tobą obawa, by nie zderzyć się twarzą w twarz z czymś nieoczekiwanym. Być może coś wisiało w powietrzu, coś między nami, i dlatego postanowiłam zająć się Amelią i zobaczyć, co z tego wyniknie.

Żeby dodać sobie odwagi, powtarzałam: kiedy już wszystko opiszę, zobaczy, że w ważnych kwestiach naprawdę niewiele się różnimy, w gruncie rzeczy myślimy tak samo... no, może prawie tak samo. Miałam nadzieję *go* przekonać, że istnieją uczucia niezwiązane z żadną konkretną epoką, na przykład zawsze można spotkać kobietę kochającą mężczyznę, który nie odwzajemnia jej uczuć, nie ceni sobie tej miłości albo na nią nie zasługuje.

Że odpowiedź na miłość nie jest kwestią epoki, tylko osoby. I że w każdym czasie można wybrać niezapominanie: „Nie chcę, byś mnie opuszczał, bólu, ostateczna formo miłości"...

Nie przeczytał już historii Amelii. Zaledwie parę pierwszych stron, gdzie jest mowa o różnicach między nami. „Bardzo fajne – skwitował. – Wygląda jak wiersz".

A kilka dni później odszedł.

II

Kiedy bierzesz się do pisania powieści, przede wszystkim musisz zdecydować, kto będzie o wszystkim opowiadał, czy też – że użyję terminu akademickiego – jakiego narratora wprowadzisz. Ja postanowiłam zastosować dwa typy narracji: w pierwszej osobie – „ja" jako świadek, który czasem staje się bohaterem, opowiadając swoją własną historię, w pewnym sensie paralelną wobec losów Amelii – oraz w trzeciej osobie – narrator wszystkowiedzący, który momentami nazywa uczucia albo określa sądy bohatera. Zmiana narratora zawsze pociąga za sobą komplikacje formalne, ale z kolei narzucony w ten sposób dystans wobec faktów wydał mi się bardzo pożądany i zapewniał szerszą perspektywę.

Postanowiłam również, że będę referować wyłącznie to, co mnie interesuje. We wszystkich historiach pewne sprawy wydają ci się bardziej zajmujące, inne natomiast cię nie obchodzą albo wręcz budzą w tobie niesmak. I dotyczy to zarówno relacji pisemnych, jak i ustnych. Ba, może być tak, że zainteresowanie narratora rozmija się absolutnie z oczekiwaniami czytelnika bądź słuchacza. Azorín wykorzystał tę rozbieżność w *Doñi Inés*. Bohaterka, zakochana w człowieku młodszym od siebie, prosi wuja, don Pabla, żeby jej opowiedział o miłości doñi Beatriz – dalekiej antenatki – do trubadura, który biorąc pod uwagę wiek, mógłby być jej synem. Don Pablo odchodzi raz po raz od wątku miłosnego, by snuć dywagacje na temat, który go pasjonuje, czyli na temat roli ludzi czynu w społeczeństwie. Z opowieści wyłania się coś na kształt poematu prozą, w którym niepokój doñi Inés dochodzi do głosu w ponawianych pytaniach o losy tamtej pary. Wszystko razem trzyma się kupy, ponieważ autora interesują oba wątki: erotyczny i polityczny, i zręcznie wykorzystuje ów zabieg, by je rozwinąć. Kłopot jest wtedy, kiedy mamy mówić na temat, który nas nie wciąga. Takie sytuacje zdarzają się też w życiu codziennym. Często podczas wykładu ktoś z uporem maniaka dopytuje się o kwestię pasjonującą tylko jego. To katastrofa, bo kiedy czujesz się zmuszony rozprawiać o czymś, co cię nie kręci, rezultat okazuje się fatalny – wypowiedź jest bezbarwna i mdła. A słowa ulatują z wiatrem. To jednak, co zapisane, zostaje. Dlatego staram się mówić w swoich książkach tylko o tym, co mnie w jakiś sposób obchodzi; resztę zostawiam wyobraźni czytelnika. Nigdy prawie nie opisuję scenerii, w której rozgrywa się akcja, mebli czy jakichkolwiek przedmiotów znajdujących się w pokoju. Aby jednak bohaterowie nie obracali się w nieokreślonej pustce, zaznaczam pewne szczegóły, na przykład: „zwalił się na łóżko i pozwolił jej mówić spokojnie", albo: „odłożyła książkę na półkę i zapatrzyła się w krajobraz za oknem". Od czasu do czasu wychodzą mi kwiatki typu: „horyzont barwił się gasnącymi promieniami słońca", których pojawienia się nijak nie mogę sobie wytłumaczyć. Ale przynajmniej czytelnik ma mgliste pojęcie na temat miejsca, w którym znajdują się bohaterowie, i może uzupełniać i podkolorowywać obraz wedle swego upodobania. Nie wiem, być może to lekceważenie szczegółów przestrzeni ma coś wspólnego z faktem, że od dzieciństwa jestem krótkowidzem, a nie zawsze noszę okulary. Jako że trochę mi przeszkadzają (a szkła kontaktowe jeszcze bardziej), zrezygnowałam z nich i przyzwyczaiłam się oglądać świat jakby spowity mgiełką, w której zamazują się kontury. Wyraźnie rozróżniam tylko to, co na pierwszym planie, a ludzi rozpoznaję po sylwetce, po sposobie chodzenia. Widzę swoich bohaterów, jak spacerują ulicami albo poruszają się po domu, siadają, jedzą, rozmawiają, ale z wielkim trudem przyszłoby mi określić wygląd pokoju czy znajdujących się w nim sprzętów. Tylko wtedy, gdy formy przestrzeni mogą pomóc w zrozumieniu danej postaci, podejmuję wysiłek opisania ich. Nie odnosi się to do Amelii. Jeśli chodzi o hotel w Paryżu, w którym ona i Carlos spędzili noc poślubną, wystarczy chyba stwierdzić, że był luksusowy.

Całkiem wyraźnie stoi mi przed oczyma Amelia owego ranka, kiedy budzi się samotnie w pokoju – i od tego zacznę. Nie warto się zatrzymywać na wszystkim, co było przedtem: poznanie, oczarowanie Amelii, ślub, ach, Boże, co za ślub! – niezły obrazek rodzajowy. Ani na nocy poślubnej. Choć przyznaję, że mogłoby to być ciekawe. Prawdę powiedziawszy, jeśli mam być szczera, chętnie bym się czegoś o owej nocy dowiedziała. Sam temat budzi we mnie niezdrową ciekawość, to musi być fiksacja z okresu dzieciństwa. Teraz nie ma już „nocy poślubnych". Jest oczywiście ten pierwszy raz, ale to co innego, o wiele bardziej prywatnego i mniej transcendentalnego dla kobiety. Każda decyduje się na ten krok, kiedy chce, i nikt nie musi o tym wiedzieć. Noc poślubna niosła z sobą coś z wtajemniczenia, była wypełniona oczekiwaniami, następowała w określonym, powszechnie wiadomym momencie, owiana aurą niepokoju. George Sand należała chyba do pierwszych kobiet, które opowiedziały o traumie, jaką ta noc stanowiła dla niedoświadczonej dziewczyny. Uczyniła to w *Indianie*. Mówi tam wręcz o legalnym gwałcie, i w wielu wypadkach z pewnością miał on miejsce. Hrabina de Campo Alange* widzi to podobnie w swoich wspomnieniach: zdumienie na widok różnicy między nagością mężczyzny, który jest już jej mężem, a tym, co oglądała na rzeźbach i obrazach, gdzie członek nie był w erekcji, przerażenie, jakie budzi ten chłopiec, dotąd tak miły, przeobrażony we włochatego furiata, który rzuca się na nią bez pardonu, by „przebić" jej ciało.

Pamiętam, co opowiadała jedna z dziewczynek z mojego podwórka, kiedy miałam jakieś dziesięć–jedenaście lat. Otóż pan młody kazał się pannie młodej rozbierać przy sobie. Ona chciała to zrobić po ciemku, ale mąż powtarzał: „Nie ma mowy! Tu, przy mnie!". Przy czym dziewczynka przybierała ton nieznoszący sprzeciwu i wykonywała rozkazujący gest. Słyszała o tym od swojej starszej siostry, której opowiedziała to przyjaciółka, mężatka świeżej daty. „I jeśli masz okres, tak samo się musisz rozbierać – twierdziła – i nie możesz się zasłaniać rękami ani niczym, bo on ci je odsunie".

Byłam najmłodsza z całej paczki, miałam dwa czy trzy lata mniej od nich, i owe noce poślubne raczej budziły we mnie obawy, niż mnie ekscytowały. Wyobrażałam sobie, że ja i chłopiec, który mi się podobał, znajdujemy się w takiej koniunkcji – i była to przykra wizja. Usiłowałam osadzić scenę w pełnej zbytku, zmysłowej scenerii filmów tylko dla widzów dorosłych, jakie udało mi się zobaczyć. Moim ulubionym filmem była *Atlantyda*, z Marią

---

* María Campo Alange, *Mi atardecer entre dos mundos*, Barcelona 1983.

Móntez w roli królowej Antynei: oczyma wyobraźni widziałam siebie spoczywającą leniwie na szezlongu, adorowaną – za mym łaskawym przyzwoleniem – przez kolejnego amanta. Czar pryskał jednak przed lustrem w łazience, gdzie drżąc z zimna, oglądałam niepocieszona swoje o wiele za długie nogi, wystające żebra, kościste obojczyki i piersi, które za Boga nie chciały urosnąć. Byłam podobna nie do Marii Móntez, tylko do żydowskiej dziewczynki, którą widziałam na zdjęciu z niemieckiego obozu koncentracyjnego. Wracałam do łóżka, tłumiąc kichnięcia, z mocnym postanowieniem, że prędzej zostanę starą panną, niż zniosę upokorzenie pokazywania się komukolwiek w tej postaci.

To, o czym napomykali dorośli, też raczej nie mogło zachęcać do małżeństwa. Pamiętam, że matka śpiewała taką piosenkę:

Moja cudna młynareczko,
cóżeś taka smutna, blada,
od dnia ślubu nie przestałaś
po calutkich nocach płakać.
Niosą się gdzieś het, daleko
twe wzdychania rzewne, jęki,
moja cudna młynareczko,
z żalu chybaś bliska śmierci.

Bardzo mnie intrygowało, co też mogło się przydarzyć młynareczce, że była pogrążona w rozpaczy, i choć matka bagatelizowała sprawę – w końcu to tylko piosenka – nabrałam przekonania, że sprawy miały się podobnie jak z tamtą dziewczyną, która wyszła za żołnierza w czasie wojny, a on ją zostawił w noc poślubną; matka mówiła, że to dlatego, że miała skrofuły na brzuchu, i że ten

23

chłopak płakał, bo bardzo ją kochał, ale nie mógł się przełamać. Spytałam, co to są skrofuły, ale matka kazała mi czytać książkę i nie omieszkała przypomnieć, że dzieci nie powinny podsłuchiwać rozmów dorosłych. Ale ja już przeczytałam swoją książkę. Dostawałam tylko tyle pieniędzy, żeby wymieniać książki ze sklepiku dwa razy w tygodniu, i tak więcej niż moje koleżanki, ale czytałam bardzo szybko; więc leżałam, nie mogąc wyjść z domu z powodu anginy, z przeczytaną już książką, podczas gdy matka z koleżankami rozprawiała na tematy, które nieraz budziły moje zainteresowanie, jak na przykład historia dziewczyny ze skrofułami. Doszłam do wniosku, że były to jakieś pasożyty, coś jak wszy, tylko o wiele większe, rodzaj pijawek, o których wyglądzie też nie miałam pojęcia, ale wyobrażałam je sobie na podobieństwo ślimaków, tych bez skorupek, z mackami i przyssawkami jak u ośmiornic. Ośmiornice znałam, bo czasami jedliśmy je w domu i były pyszne; ale mieć je poprzyczepiane do brzucha to musiało być coś potwornego. Nie dziwiło mnie zatem absolutnie, że pan młody zostawił pannę młodą, zobaczywszy te wstrętne robaki na jej brzuchu. Kiedyś później, kiedy wrócił ten temat – jako że w moim domu, jak pewno we wszystkich, mówiło się w kółko o tym samym – matka wyjaśniła mi, że skrofuły to odrażające wrzody. Przy okazji dowiedziałam się też, że chłopak się zreflektował, pożałował swej odruchowej ucieczki i wrócił do dziewczyny. Przypomniała mi się ta historia po latach, kiedy narzeczony zostawił Alicję.

Alicja to dziewczyna, którą z wioski położonej niedaleko Brétemy przywiozłam do Madrytu jako służącą. Była bardzo tęga i prawie niewidoma. Zza okularów o grubych szkłach – coś chyba z czternaście czy piętnaście dioptrii – niemal nie widać jej było oczu. Właściwie sprowadziłam

24

jej siostrę, a ona przyjechała trochę na doczepkę, ponieważ rodzina nie bardzo miała ochotę trzymać ją w domu. Jako niemowlę wpadła do ognia i bardzo mocno się poparzyła na całym ciele. Jedna jej pierś – pozbawiona sutka wraz z otoczką – wyglądała jak gładka kula; brzuch przecięty był ciemną i pomarszczoną szramą. Aż przykro patrzeć. Przy tym wszystkim jednak coś w tej dziewczynie pociągało mężczyzn, tak że nigdy nie brakowało jej zalotników. We wsi zostawiła chłopaka, który wypisywał do niej najbardziej wzruszające listy miłosne, jakie w życiu czytałam. Używał wytartych formułek typu: „Mam nadzieję, że mój list zastanie Cię w dobrym zdrowiu", rozsadzanych co chwila wybuchami uczucia, które kazało mu powtarzać w nieskończoność imię dziewczyny: Alicja, Alicja, Alicja, Aluś najdroższa, Aluniu najmilsza... i tak przez całą stronę. Ona od czasu do czasu wyjmowała listy z dużej koperty, siadała w swoim pokoju, czytała je od początku i wysyłała mu pocztówkę. Zakochana nie była. Kiedy przyjechała do Madrytu, zmieniła się nie do poznania i jak zwykle zaczęli się kręcić koło niej chłopcy. W pewnej mierze sama stałam się inicjatorką tej zmiany, ponieważ kazałam jej się odchudzić, wysłałam ją do dobrego fryzjera i poradziłam, żeby zamiast okularów nosiła szkła kontaktowe. Reszty dopełniła sama: sprawiła sobie obcisłe dżinsy, botki na wysokim obcasie, odlotową torebkę i zaczęła się nosić – że ja cię przepraszam. Rodzony ojciec jej nie poznał, i nie jest to żadna gadka szmatka. Otóż kiedy w czasie swoich pierwszych wakacji pojechała do domu, wysiadła z autobusu w Brétemie i nim zatrzymała taksówkę, która zawiozłaby ją do wioski – a co, miała iść na piechotę i ubłocić sobie skórzane botki? – przespacerowała się przez całe miasto. Pewno chciała, żeby wszyscy mieli okazję ją podziwiać. Na środku głównego placu zobaczyła ojca, który wybrał się był po zakupy. Spojrzał na nią, na co ona podeszła, uśmiechnięta. Ojciec, przestraszony, odwrócił wzrok i skręcił w drugą stronę. Wówczas dotarło do niej, o co chodzi. Zaczęła wołać: Tata, to ja!...

No więc dobrze, jak można się było spodziewać, zafundowała sobie amanta. Nazwałam go Jacek Macek, ponieważ obejmował ją tymi swoimi mackami tak jak oplatająca ramionami ośmiornica. Dłuższy czas chodzili ze sobą, aż tu pewnego dnia widzę Alicję z nosem czerwonym jak pomidor i zapłakanymi oczyma. Jak poinformowała mnie jej siostra, poszli razem do łóżka, ale on, kiedy zobaczył blizny, nie chciał mieć z dziewczyną nic więcej wspólnego. Nie spytałam, czy nie dał rady iskry z siebie wykrzesać, czy też była to decyzja podjęta a posteriori. Chłopak wyglądał na strapionego i pełnego współczucia dla Alicji, ale – jak wyznał jej siostrze – po prostu nie mógł. Alicja poszła na całość. Nie miała zamiaru tuszować całej sprawy i ukrywać przyczyny zerwania, i zaczęła rozpowiadać o tym wszystkim przyjaciółkom i przyjaciołom: chłopak jest prosię, co nie? bo jak naprawdę kochasz dziewczynę, to nieważne, czy ma blizny na ciele. Przyznałam jej świętą rację, żeby ją pocieszyć, a jednocześnie załatwiłam jej operację plastyczną. W ciągu przeszło dwóch lat zrobiono Alicji serię przeszczepów, z nóg, z pleców, i w rezultacie jej wygląd bardzo się poprawił. Zniknął przynajmniej ten pas zmarszczonej skóry biegnący przez brzuch, no i zrekonstruowano jej sutek. W tej sytuacji chłopak wyraził chęć powrotu, skruszony, jak ten z opowieści mojej matki, ale Alicja nie chciała nawet o tym słyszeć. I zanim jeszcze skończyła kurację, sprokurowała sobie nowego kochasia, po czym poszła z nim szczęśliwie do łóżka, bez najmniejszych problemów. I ku zazdrości wielu. Tak jakby blizny stanowiły nawet ekstra wabik. Wszyscy wiedzieli o jej przeprawach z pierwszym chłopakiem, więc żeby pokazać, co sądzą o takim traktowaniu dziewczyny, smalili do niej cholewki bez skrępowania: „Uch, ja bym ci nie popuścił, Alicja; i pomyśleć, że ten bęcwał wymiękł". I robili podobne awanse. Chłopak wyszedł na głupiego, bo też rozeszła się fama, że Alicja jest w łóżku cudowna, a on, przez te wszystkie wydziwiania, musiał obejść się smakiem.

Mnie osobiście bardziej podoba się historia opowiadana przez matkę o żołnierzu i skrofułach. Patrzę na nią od strony mężczyzny jako na triumf miłości nad degradacją fizyczną istoty umiłowanej; od strony kobiety – jako na miłość zdolną pokonać rozczarowanie i żal.

Może jednak idealizuję tę dziewczynę, gdy tymczasem w czasie wojny po prostu nie można było sobie pozwolić na wzgardę wobec skruszonego małżonka. Jeśli chodzi o Alicję, nie wiem, za kogo w końcu wyszła. Moim kandydatem był chłopak z wioski. Przekonywałam ją, że ktoś, kto pisze takie listy, musi być człowiekiem wrażliwym i dobrym. Alicja uśmiechała się w szczególny sposób, uśmiechem kobiety doświadczonej albo aktorki ze starych filmów, takiej Grety Garbo w *Damie kameliowej* – choć nie miała więcej niż dziewiętnaście, dwadzieścia lat – i przytakiwała: tak, jest bardzo dobry. Sądzę, że trzymała go w odwodzie. Nie w smak jej było mieszkać na wsi, co zrozumiałe, bo życie tam jest ciężkie. Choć teraz wiele się zmieniło i temu chłopakowi żyje się pewno lepiej niż większości pracujących w dużych miastach. Chętnie poznałabym dalsze losy ich wszystkich, ale w życiu dzieje się tak jak w powieściach: tracisz kogoś z oczu i nie wiesz, jak potoczyły się jego losy.

Wracając do punktu wyjścia – gdybym tak mogła usłyszeć coś na temat nocy poślubnej Amelii! Nie mówię, że od ciotki Mercedes, bo to nie do pomyślenia, ale może jakaś aluzja, słóweczko rzucone od niechcenia, komentarz z ust kogoś z rodziny, przyjaciół... Nic! Żadnego tropu. Wszyscy zaczynają od nieszczęsnej nocnej koszuli. Nie wiem nic, a w tej sytuacji szkoda się wysilać; to nie byłaby noc poślubna Amelii, tylko ta, o której marzyła mała Antynea lub jakakolwiek inna dziewczyna. Kiedy nie da się zobaczyć pewnej sceny, lepiej ją pominąć. I niech każdy ją sobie wyobrazi, jak zechce.

III

Wszystko, co wydarzyło się owego ranka, w dzień po ślubie, widzę wyraźnie, jakbym tam była.

Amelia budzi się i przeciąga leniwie w łóżku. Ogarnia ją rozkoszna błogość. Zawija się znowu w kołdrę, uśmiecha do siebie; nie musi się zrywać, może jeszcze poleżeć, przecież są wakacje. Nie dziwi jej, że nie natrafia na ciało drugiej osoby; jeszcze się nie przyzwyczaiła. Tymczasem jednak zaczyna z niej opadać sen i przypomina coś sobie, i znów wyciąga rękę, szukając tego, kto leżał tam w nocy, ostrożnie, żeby go nie zbudzić, wciąż trochę onieśmielona, i znów się uśmiecha na wspomnienie, i otwiera oczy.

Rzuca okiem na poduszkę, łóżko, potem omiata wzrokiem cały pokój. Wąską szparą między zaciągniętymi storami sączy się szarawe światło. Myśli: jest pewno w łazience. I jeszcze: zachmurzyło się.

Przykrywa się kołdrą, bo jest jej chłodno w nagie ramiona, ale zaraz wyciąga je, poprawia włosy, delikatnie przeciera oczy. Jeszcze by tego brakowało, żebym miała śpiochy w oczach, powinnam była pójść do łazienki przed nim, nie zobaczyłby mnie takiej zaspanej. Wstaje cichutko i zerka do lustra. Zauważa z niepokojem, że twarz ma trochę obrzękniętą. Będzie mu się wydawała

29

brzydsza niż wczoraj wieczorem, myśli, wszystko przez to, że tak długo spała, spała jak zabita, może nawet chrapała. Czasem, kiedy jest chora i ma gorączkę, chrapie – tak twierdzą ciotki. Ma sucho w ustach i trochę ją boli kark, ale nie jest chora. Staje bokiem przed lustrem; podoba się sobie w tej wydekoltowanej koszuli, taka uśmiechnięta. Wraca do łóżka. Siłą powstrzymuje się, żeby nie wskoczyć pod kołdrę jednym susem i nie ukryć twarzy w poduszce, jak robiła w dzieciństwie. Zawsze była zmarzlakiem i lubiła przykrywać się po uszy, ale teraz nie wypada. Teraz jest mężatką, żoną cudownego, przystojnego mężczyzny. Wyrównuje kołdrę, strzepuje poduszkę, znów przygładza włosy. Kładzie się i wzdycha. Z zadowoleniem. Mijają dwie–trzy minuty. Z łazienki nie dobiega żaden odgłos. Powinna przepłukać usta i wysiusiać się. Chucha w dłoń i podnosi ją do ust. Jak tylko Carlos wyjdzie z łazienki, musi koniecznie przepłukać usta, jeszcze zanim on ją pocałuje. I zrobić siku. To przez ten szampan i przez to, że tak długo spała. Szuka wzrokiem zegarka, żeby zobaczyć, która godzina; nie ma go na nocnym stoliku i na dużym stole też nie. Ale już nie wstanie. To jedno wie na pewno: za żadne skarby nie zastuka do łazienki, dając znać, że się obudziła i czeka. Przypomina sobie rubaszne żarciki na ten temat: w małżeństwie najprzykrzejsze jest to, że macie wspólną toaletę... Uważa, że poganianie kogoś w ubikacji należy do bardzo złego tonu. W domu miała łazienkę dla siebie, ojciec drugą, ale w internacie zawsze jakaś niecierpliwa koleżanka dobijała się i pytała, czy długo będziesz siedzieć. Zakonnice nie wypowiadały się na ten temat, unikały jak ognia wszystkiego, co dotyczyło higieny osobistej, zawsze jednak przychylnym okiem patrzyły na te, które krótko siedziały w łazience; zalecały też wychowankom, by nie poświęcały zbyt wiele uwagi pielęgnacji ciała.

Amelia przykrywa ramiona, bo ogarnia ją chłód, a wraz z tym jeszcze bardziej chce jej się siku. Będę musiała zapukać, martwi się, co za głupia sytuacja, żeby trzeba było iść do ubikacji akurat w tym momencie; poczekam jeszcze z pięć minut. Wstaje, żeby sięgnąć po zegarek. Gdzież on się podział. Czyżby go zostawiła w łazience? No nie, tylko tego brakowało! Pomyśli, że nie umiem się zachować: on – to arystokrata, ma tytuł szlachecki i skończył college w Anglii, gdy tymczasem rodzina Amelii należy do klasy średniej i wszyscy, oprócz jej ojca, bardzo się emocjonują herbami pana młodego. Tak czy owak to on teraz siedzi w łazience, pociesza się, i przypomina sobie wyliczankę, którą słyszała z ogrodu, wykrzykiwaną przez dzieci na ulicy: „Każdy sra, król też sra, papież sra, raz, dwa, trzy, srasz i ty". Boże kochany, co by powiedział Carlos, gdyby wiedział, co jej się plącze po głowie!

Przebiega ją dreszcz, chyba włoży szlafrok. Będzie jej w nim do twarzy, jest z błękitnej satyny, sprowadzony z Paryża, jak cała jej bielizna. Wyjęła go w końcu wczoraj wieczorem czy nie? Głowę ma jakąś ciężką, coraz mocniej czuje ten kark, zdenerwowanie zresztą też. Szlafrok jest pewno w łazience! Nie, tego to już za wiele! Więc może futro. Przecież to głupota stać tak i marznąć, i przestępować z nogi na nogę; w końcu norki pasują do wszystkiego. Przypomina sobie zdjęcie modelki w futrze, którego poły zasłaniają piersi – niby to się kuli z zimna, nogi gołe, ani butów, ani pończoch. Pamięta uśmieszki koleżanek oglądających to zdjęcie, koszulka, noc poślubna... Czuje, jak jej się robi gorąco i palą ją policzki – wiele by dały za to, żeby im opowiedziała!

31

Otwiera drzwi szafy, potem drugie i na moment drętwieje ze zdumienia: pusta! Ani śladu ich rzeczy, nie ma jej futra, płaszcza Carlosa. Tylko koc i dodatkowe dwie poduszki. W schowku brakuje także dwóch wielkich skórzanych walizek. Wczorajszego wieczoru w ogóle ich nie zdążyli otworzyć. Przesuwa dłonią po karku, bo ból się wzmaga. Jej koszula nocna i szlafrok były zapakowane do torby podróżnej, której też nie może nigdzie znaleźć. Przelatuje jej przez głowę myśl, że ich okradziono, ale nie może w to uwierzyć. Podchodzi zdecydowanie do drzwi łazienki i woła:

– Carlos!

Odczekuje kilka chwil, po czym stuka kłykciami palców:

– Carlos!

Powoli naciska klamkę i ostrożnie popycha drzwi. Ustępują. Rozgląda się zdezorientowana po pustej łazience. Wraca do sypialni i myśli: Okradziono nas, gdy spaliśmy, i Carlos zszedł, żeby zgłosić...

Zastanawia się, co jeszcze mogło się zdarzyć, ale nic nie przychodzi jej do głowy. Kręci się chwilę po pokoju, rozsuwa zasłony. Rzeczywiście, niebo jest zachmurzone, niemniej musi już być przynajmniej dziesiąta. Albo i później. Lepiej, żeby jej był powiedział, nie zostawiał tak samej. Na pewno chciał jej oszczędzić przykrości, miał nadzieję, że uda się wszystko załatwić, nim ona się zbudzi. Albo poszedł po pieniądze. Torebka! Miała w niej pieniądze na jakiś miły drobiażdżek w Paryżu. Niechętnie by go prosiła, mimo że był już jej mężem, toteż wzięła ze sobą drobną sumę na osobiste wydatki. Ale torebki też nie ma w szafie, chociaż zostawiła ją tam razem z rękawiczkami. W pokoju nie ma niczego, niczego. Znów czuje chłód i kłąb w żołądku. Idzie do łazienki i zamyka drzwi od środka. Wolałaby, żeby nie zastał jej siusiającej, jak wróci. Na pewno poszedł kupić coś do ubrania. Ona sama, w koszuli nocnej, i tak nie mogłaby z nim iść ani w ogóle nic załatwić. Dlatego jej nie zawiadomił. Otwiera zasuwkę i wchodzi pod prysznic. Przynajmniej zaczeka na niego czysta. Spływa na nią woda, po ciele rozchodzi się miłe ciepło; w rezultacie mieli szczęście, że ten, kto wszedł do ich pokoju, nie był mordercą; przypomina sobie zasłyszane historie o handlu żywym towarem. Pewnego deszczowego dnia jakiś bardzo uprzejmy dżentelmen zatrzymuje swój samochód i ofiaruje się podwieźć parę młodych ludzi, którzy spędzają w Paryżu miesiąc miodowy, a teraz właśnie bezskutecznie szukają taksówki. Oni się zgadzają, bo są kompletnie przemoczeni. Po chwili dżentelmen zatrzymuje auto koło skrzynki pocztowej i prosi młodego małżonka, żeby był tak uprzejmy i wrzucił mu list. Sam ma problemy z nogą, mówi, wskazując na laskę, i obawia się poślizgnąć w deszczu. Chłopak wysiada i widzi przerażony, jak samochód odjeżdża pełnym gazem, uwożąc jego młodą żonę. Która znika na zawsze. Albo inna historia, podobna do jej własnej. Mąż wychodzi z hotelu po gazetę, tymczasem w pokoju zjawia się jakaś kobieta i oświadcza, że przyszła odprowadzić żonę do szpitala, dokąd odwieziono męża, potrąconego przez samochód. Przez chwilę Amelię ogarnia obawa, że może Carlos został porwany, ale zaraz odrzuca tę myśl. Przecież by usłyszała. Wycierając się ręcznikiem, zadaje sobie pytanie, jak można było wynieść rzeczy z pokoju tak, że się nie obudziła. Wszystko przez te emocje, myśli, i szampana. Wkłada koszulę, a ten zapach przywodzi jej na pamięć minioną noc. Dreszcz ją przebiega na wspomnienie pocałunków, pieszczot, nagiego ciała Carlosa, tak nieznanego, widzi ciemne owłosienie, członek, który budzi lęk i zarazem pragnienie. Przykłada rękę między nogi i ściska aż do bólu. W jej pamięci pojawia się chwila, w której wszystko gubi się w mroku, tak jakby zasnęła, jakby straciła przytomność: Carlos, który wyjmuje jej z ręki pusty kieliszek, uśmiecha się – bo się upijesz, jej dłoń na jego piersi, ciemne, niemal czarne włosy, obrączka połyskująca na ręce, to ciało nad nią, oddech, który czuć tytoniem i szampanem, a potem wrażenie, że są wakacje, że nie trzeba się zrywać, i puste łóżko, i szczelina światła między zasłonami...

Wyjmuje z szafy koc, kładzie się na łóżku i przykrywa. Gdzieś w zakamarkach świadomości rodzi się w niej myśl, której nawet nie chce oblec w kształt. Odrzuca ją, starając się skupić na czymś innym, na przykład czyby nie zadzwonić do recepcji i nie spytać, która godzina. Pewno się zdziwią, ale może pomyślą, że stanął jej zegarek albo że przyjechała z kraju, w którym jest inny czas. Pamięć podsuwa jej wszystko, czego uczyła się w szkole o strefach czasowych i południku Greenwich; uspokojona, postanawia zadzwonić. Jest dwunasta. Podchodzi do drzwi na korytarz i otwiera je. Na klamce, od zewnątrz, wisi wciąż plakietka „Nie przeszkadzać", umieszczona tam przez Carlosa wieczorem. Zostawia ją i, zawinięta w koc, wraca do łóżka. Myśli: Poczekam do wpół do trzeciej, niech tata zje obiad. Może do tej pory, da Bóg, Carlos wróci.

W czasie rozmowy z ojcem powtarza: „Nie wiem, co robić. Carlos zniknął, w pokoju nie ma nic, ani ubrań, ani walizek. Jestem tylko w koszuli nocnej...". Głos jej się łamie. Ojciec zadaje kilka pytań, niewiele. Amelia nie zadzwoniła do recepcji, żeby spytać o męża, czy wychodził, czy miał ze sobą walizki, czy nie zostawił wiadomości; nie chce rozmawiać z nikim, póki nie dowie się ojciec.

Dopiero ojciec dzwoni do dyrektora hotelu, dopilnowuje, by zaniesiono jej ubranie i coś do jedzenia, żeby córce nie brakowało niczego i nie zakłócano jej spokoju przed jego przyjazdem. I kiedy ojciec rozmawia z nią przez telefon i cedzi: „Kanalia!", Amelia po raz pierwszy łączy oba fakty i ubiera w słowa to, czego do tej pory nie miała odwagi pomyśleć: Carlos zniknął, zabierając ze sobą wszystko.

IV

To, co *jemu* wydaje się żywcem wyjęte ze starych romansów, to ciąg dalszy. Początek – niczego sobie, nawet interesujący, tak zresztą uważa każdy; w końcu zostawienie dziewczyny w samej nocnej koszuli jest czynem dość spektakularnym. No i natychmiast pojawiają się pytania: jak mógł tak postąpić? dlaczego? co nim powodowało? W tym sęk jednak, że mnie nie interesują motywy postępowania Carlosa. Interesuje mnie Amelia: co czuła, jaka była jej reakcja na porzucenie? Jeśli chodzi o niego, sprawa jest raczej banalna – mieszanina nieodpowiedzialności, egoizmu i braku skrupułów.

Gdyby chodziło o pierwszego lepszego hulakę, ciotka nie wahałaby się określić go mianem „utracjusza", jak innych. Ale Carlos był hrabią, synem, wnukiem, prawnukiem, et cetera, hrabiów. Jego ród sięgał korzeniami szesnastego wieku i dlatego jedyną osobą, która nazwała go, bez owijania w bawełnę, złodziejem, był ojciec Amelii, daleki od zaślepienia blaskiem szlacheckiego herbu.

W momencie poznania Amelii Carlos musiał być zadłużony po uszy. Wpływy rodziny, a także błyskotliwy początek kariery architekta pozwoliły mu żyć przez jakiś czas z kredytów i pożyczek, ale nie trwało to długo. Małżeństwo z rozsądku stanowiło zatem niezłe rozwiązanie. Najodpowiedniejsza byłaby może bogata wdówka, ale ta miałaby więcej doświadczenia i nie tak łatwo dałaby się oszukać. Amelia, poza tym że była jedynaczką, zdążyła już odziedziczyć majątek matki, miała osiemnaście lat i dopiero co skończyła szkołę prowadzoną przez zakonnice. Sprytnie pomyślane.

Zdaniem ciotki wszystkiemu winne było wychowanie, jakie odebrał Carlos. Nauczono go szastać pieniędzmi bez żadnych ograniczeń i ani praca zawodowa, ani majątek rodzinny – który rychło zresztą stopniał – nie pozwoliły mu utrzymać poziomu życia, do jakiego był przyzwyczajony. Jego potrzeby okazały się silniejsze niż poczucie honoru; dlatego posunął się do kłamstwa, oszustwa, a w końcu kradzieży. Gwoli ścisłości muszę zaznaczyć, że ciotka, która, jak zauważyłam, przejawiała pewną słabość wobec Carlosa, nigdy nie użyła słowa kradzież. Mówiła raczej, że przepuszczał, trwonił wszystkie pieniądze, jakie przechodziły przez jego ręce. W tych wydatkach mieściły się rozdawane na prawo i lewo prezenty, nieustanne wizyty w lokalach, huczne przyjęcia w domu, podejrzane interesy z mętnymi typami i zamiłowanie do gry. Krótko mówiąc, w wersji ciotki Carlos jawił się jako człowiek nierozsądny i niedojrzały raczej niż wyrachowany.

– Gdyby dobrze rachował, nie zostawiłby jej w noc poślubną – twierdziła ciotka. – Za to, co zabrał, mógł sobie zafundować jedynie podróż do Ameryki. Jeśliby wytrzymał ciuteńkę dłużej, zgarnąłby fortunę.

Może i jest w tym trochę racji, ale nie do końca. Carlos obłowił się całkiem nieźle. Jeśli nawet pominąć pieniądze przeznaczone na podróż poślubną, biżuterię Amelii, futra, pozostaje jeszcze sprzedaż domu, zaprojektowanego przez niego, a opłaconego przez teścia, domu, w którym młodzi małżonkowie mieli zamieszkać po powrocie. Bardzo to był zgrabny pałacyk, na wybrzeżu, nad samym morzem, i to w czasach, kiedy wybierano na ogół interior. Carlos sprzedał go jakimś Anglikom, którzy zjawili się wkrótce po jego ślubie, z wszystkimi papierami w ręku potrzebnymi, żeby zająć posiadłość.

– Ziemia należała do niego – podkreśla ciotka – więc mógł ją sprzedać.

Kawałek gruntu nad morzem wart był w tych czasach grosze, bo nie było kupców. Carlos zbudował dom za pieniądze Amelii, ale żaden dowód tego nie poświadczał. W aktach jako właściciel nieruchomości figurował on sam, a dokument o sprzedaży został podpisany w Anglii w dwa dni po ślubie. Z prawnego punktu widzenia – mucha nie siada. A fakt, że Carlos zawarł umowę o sprzedaży po tym, jak zostawił Amelię, tuszował nadużycie. Mogło się wydawać, że o decyzji przesądziło odkrycie w czasie nocy poślubnej czegoś, co popchnęło go do nagłego zerwania małżeństwa i pozbycia się przyszłego wspólnego gniazdka. Już jego w tym głowa, żeby we wszystkich kwestiach pozostawał zawsze ów margines niepewności.

Według mnie porzucenie Amelii nie było niczym innym jak kolejnym szwindlem Carlosa, i to bynajmniej nie tym szczególnie wołającym o pomstę do nieba. O wyjątkowości tego postępku przesądziło późniejsze zachowanie Amelii. Mimo że ciotka Mercedes niechętnie się do tego przyznaje, otoczenie traktowało ów związek jako małżeństwo z rozsądku, korzystne dla obu stron: zrujnowany arystokrata zyskiwał pieniądze, a bogata mieszczka – herby. Carlos był bez wątpienia tego samego zdania i porzucenie Amelii nie wykraczało dlań poza schemat intryg, które knuł przez całe życie z imponującą dezynwolturą. Aż dziw, że nie skończył w więzieniu. Być może dlatego, że zawsze stała za nim jakaś kobieta – która wolała pogodzenie od zemsty – albo ktoś, kto nie mógł zdemaskować Carlosa, nie kompromitując się przy tym sam. Mercedes opowiedziała mi o dwóch takich „układach", z tytułu których Carlos miał nieprzyjemności. Jedna z jego przygodnych kochanek była właścicielką cyrku. Bez jej zgody sprzedał cały interes konkurencyjnej kompanii i został zatrzymany, jednak po rozmowie z nim właścicielka wycofała oskarżenie. Doprowadził do tego, że sprawę potraktowano jako zemstę odtrąconej kobiety. Innym razem, powołując się na znajomości ojca z konsulem niemieckim, sprzedał pewnej firmie niemieckiej projekt sieci autostrad łączących bezpośrednio, z pominięciem Madrytu, takie miasta jak Barcelona, Bilbao, La Coruña i Sewilla. Otrzymana prowizja pozwoliła mu żyć na wysokiej stopie, póki nie wyszło na jaw, że projekt był niczym więcej niż właśnie tylko projektem, niezaakceptowanym przez rząd hiszpański. Wtedy również nie poszedł do więzienia ani właściwie nie zostało jasno potwierdzone, że wszystko to była ewidentna machlojka.

Oprócz tych śliskich spraw, w których był na bakier z prawem, pozostaje jeszcze kwestia wygórowanych rachunków wystawianych za projekty architektoniczne. Robił je z wielkim rozmachem, bacząc zawsze, by zamówienia napływały od klientów bogatych i kapryśnych, gotowych dać się oskubać ze szczętem.

Oprócz walorów fizycznych wszyscy zgodnie podkreślali jego wyjątkową łatwość nawiązywania kontaktów, zyskiwania sympatii i zaufania, nawet po tym, jak wychodziły na jaw jego przekręty. W relacjach towarzyskich Carlos był niesłychanie układny i miły, uprzejmy i rycerski wobec kobiet. Ciotka Mercedes *dixit*. Słowem urodzony donżuan. Mężczyzna tego typu powinien być ateuszem; on był jednak wierzący, jak don Juan z dramatu

Zorrilli: „Nieba wzywałem – daremnie; / że ku mnie ucha nie skłania, / przeto za me poczynania / niebo odpowie, ja nie"... I traf chciał, że spotkał na swojej drodze doñę Inés zmartwychwstałą – trzebaż mu było czegoś więcej? Prawdopodobnie dopiero wiele lat po ślubie zrozumiał, z jakiego pokroju kobietą się związał, choć już w czasie owej słynnej nocy poślubnej musiał się poczuć zaskoczony. Amelia była osobą niezwykłą i Carlos, któremu na przenikliwości nie zbywało, umiał zrobić z tego użytek.

W całej tej aferze nocy poślubnej mamy do czynienia z osobliwą mieszaniną wyrachowania i improwizacji. Mówiąc ściślej: wygląda to na próbę stawienia czoła sytuacji nieoczekiwanej. Zawarcie małżeństwa z rozsądku z dziedziczką fortuny i porzucenie jej w noc poślubną nie spełnia wymogów logiki. Coś musiało go naglić, a tym czymś były najprawdopodobniej długi, bliskie terminy płatności, których niedotrzymanie wiązało się z poważnym niebezpieczeństwem, kto wie, może nawet śmiercią. Wyjazd do Stanów Zjednoczonych wydaje się potwierdzać hipotezę, że Carlos musiał pilnie zniknąć na jakiś czas z miejsc, w których się obracał.

Teoria, w myśl której owej feralnej nocy Carlos przeżył niemiłe zaskoczenie, które skłoniło go do opuszczenia Amelii, jest nie do obrony. Cóż by to była za niespodzianka? Amelia mogła cierpieć z powodu jakiejś choroby czy straszliwej deformacji. Ale nie cierpiała. Mogła okazać się histeryczką, furiatką czy nimfomanką. Ale nic w jej późniejszym zachowaniu nie wskazuje na możliwość tego typu reakcji. Mogła nie być dziewicą – ku temu przypuszczeniu wszyscy się zresztą skłaniają. Zdaniem niektórych tłumaczyłoby to milczenie Carlosa, interpretowane jako zachowanie rycerskie, i wyjaśniało, dlaczego rodzina Amelii nie wszczęła postępowania prawnego. Otóż niezależnie od niewielkiej dozy prawdopodobieństwa, jaką zawiera ta koncepcja – zważywszy na wychowanie klasztorne, wiek, brak okazji i stateczne usposobienie Amelii – istnieją dość przekonujące dowody na to, że była dziewicą.

Snułam właśnie spekulacje na ten temat, starając się zachować obiektywizm i nie wykluczając tak zwanego czynnika honoru w postępowaniu Carlosa, gdy nieoczekiwanie ciotka Mercedes, nagabywana przeze mnie w innej sprawie, wspomniała mimochodem, że na sto procent – tak to ujęła – w ścisłym sensie tego wyrażenia nie było żadnej nocy poślubnej, to znaczy Amelia wyszła z hotelowego pokoju w Paryżu równie nietknięta, jak tam weszła.

Ja twierdziłam, że zachowanie Amelii wobec Carlosa nosi cechy tego, co u kobiet określamy mianem rui czy – mówiąc dosadniej – napalenia na faceta. Krótko mówiąc, pewnego rodzaju obsesji seksualnej kobiety wobec mężczyzny. Dla mnie było to latanie za spodniami. Mercedes oczywiście w lot mnie zrozumiała, co nie znaczy, że zgodziła się z moją opinią:

– Szalała na jego punkcie. Ale nie chodziło o łóżko.

Widocznie zrobiłam minę „gadaj zdrów", bo ciotka postanowiła zapoznać mnie z obiektywnymi faktami. Otóż kilka lat po tych wydarzeniach była z Amelią u ginekologa. Amelia miała zaburzenia w miesiączkowaniu i skarżyła się na bóle w podbrzuszu. Ciotce wycinano kiedyś cystę – wiedziała, na czym polega badanie ginekologiczne. Zaprowadziła Amelię do lekarza, który odbierał porody wszystkich kobiet w rodzinie.

Lekarz kazał się Amelii położyć na kozetce i rozchylić nogi, wiesz sama, ale nagle zatrzymał się i powiedział do pielęgniarki:

– Siostro, poproszę inny wziernik.

41

Ciotka, zanim zdołałam cokolwiek powiedzieć, nie omieszkała dodać z uśmieszkiem:

– Z pewnością u ciebie nigdy go nie stosowano. Chodzi o to, żeby nie uszkodzić błony dziewiczej.

Zostawiłam tę uwagę bez komentarza, bo zależało mi na kolejnych szczegółach, które jednak nie nastąpiły. Diagnoza brzmiała: zapalenie jajników o nieznanej etiologii, przypuszczalnie wywołane przeziębieniem. W tej kwestii Amelia nie czyniła żadnych zwierzeń ani nie dawała sposobności do pytań. I ciotka uszanowała jej milczenie.

Tak więc Amelia, kiedy wchodziła do hotelowego pokoju, ubrana w ciemnoniebieski kostium, jedwabną białą bluzkę, z torebką w komplecie z butami oraz w futrze z norek kanadyjskich, była dziewicą. I straciła ubranie, nie dziewictwo. Carlosowi musiało bardzo zależeć na tym, żeby jak najszybciej sfinalizować sprzedaż domu, spłacić długi i móc pierzchnąć do Ameryki. Aż trudno uwierzyć, że przy okazji jej nie przeleciał, ale najwyraźniej do niczego nie doszło. Dlaczego? Ano, może najzwyczajniej w świecie dlatego, że chciał bez problemu załatwić unieważnienie i, spłaciwszy długi, odzyskać wolność. A potem ożenić się z tamtą. Nawiasem mówiąc, ta powściągliwość nie kosztowała go chyba zbyt wiele, gdyż – zdaniem osób występujących w tej opowieści – Amelia absolutnie nie reprezentowała typu kobiet, do których czuł pociąg – pełnych i korpulentnych. Pośpiech, brak zainteresowania wdziękami Amelii i pragnienie wyjścia jak najszybciej z opałów tłumaczą to dość niezwykłe jak na niego zachowanie owej pamiętnej nocy. Ciotka Mercedes ma chyba rację, twierdząc, że zostawił ją w koszuli po to, żeby nie mogła wyjść i wysłać za nim policji. Gdyby chciał jedynie zakpić z niej i ją upokorzyć, zostawiłby ją nagą, co jest jeszcze przykrzejsze. Prowadząc wyścig z czasem, brał także po uwagę nieśmiałość Amelii. Inna kobieta na jej miejscu zadzwoniłaby do recepcji zaraz po obudzeniu i natychmiast wszczęto by poszukiwania. Amelia odczekała do popołudnia i ojciec w pierwszej chwili zajął się tylko nią. Pokrył wszelkie wydatki i polecił nie zawiadamiać policji przed swoim przybyciem. Żona dyrektora hotelu przyniosła Amelii coś do ubrania i czekała z nią, póki nie zjawił się ojciec. Obawiano się samobójstwa, toteż nie zostawiano jej ani na moment samej.

O ile sytuacja ekonomiczna, w jakiej znajdował się Carlos, tłumaczy jego decyzję małżeństwa z bogatą dziedziczką fortuny, a pilna potrzeba zdobycia gotówki – jej porzucenie, o tyle sam sposób realizacji tego planu wskazuje na obecność wspólnika, najprawdopodobniej kobiety.

Przez życie Carlosa przewijało się wiele kobiet, ale liczyła się przede wszystkim kobieta nazywana przez rodzinę „tamtą". Pojawiały się naturalnie inne, przygodne znajome. „Tamta" była jednak oficjalną kochanką i przypuszczalnie Carlos żywił do niej głębsze uczucia, jakkolwiek nie miał zamiaru się żenić. Obecność tej kobiety zaznaczyła się w jego życiu najtrwalej. Do niej wracał raz po raz i u jej boku przeżył historię podobną do tej z Amelią. Słowem, zawsze pozostawała gdzieś w tle, jako ta druga, a zatem można domniemywać, że istniała już przed jego ślubem i pomogła mu uciec z walizkami Amelii.

Ponieważ nie złożono doniesienia na policji, nie miałam możliwości sprawdzić, w jaki sposób Carlos opuścił Paryż. Pewny pozostaje jedynie fakt, że udał się do Londynu w związku ze sprzedażą domu, a rok po ślubie przebywał w Nowym Jorku, skąd za pośrednictwem adwokata zaproponował Amelii unieważnienie małżeństwa.

Udział innej kobiety w charakterze wspólnika rozwiązywałby ewentualny problem odjazdu bez uregulowania rachunków i w całkowitej dyskrecji. Nie ja to wymyśliłam, tylko detektyw z hotelu, który z własnej inicjatywy przeprowadził dochodzenie, uzupełnione później na zlecenie ojca. Zgodnie z jego wersją Carlos przekazał cały bagaż kobiecie czekającej nań od poprzedniego dnia w innym pokoju. Wszystko zostało sprytnie pomyślane – nikt przecież nie zwróciłby uwagi na kobietę, która przybyła z jedną walizką, a odjeżdża z trzema plus torba podróżna. To był luksusowy hotel i obsługa często widywała spore bagaże. Carlos mógł zatem wyjść z hotelu sam, nie zwracając niczyjej uwagi, jak gdyby udawał się na przechadzkę. Prawdopodobnie zrobił to jeszcze poprzedniego wieczoru, ponieważ o dziesiątej zarejestrowano rozmowę telefoniczną między apartamentem zajmowanym przez niego i Amelię a innym pokojem w tym samym hotelu. Niechybnie był to znak, że wszystko poszło gładko. O tej godzinie Amelia musiała już spać, to znaczy znajdować się pod wpływem środka nasennego dodanego do szampana. Carlos zamówił butelkę niezwłocznie po przybyciu. Nawiasem mówiąc, nie stwierdzono śladów żadnego specyfiku ani w butelce, ani w kieliszkach, ale to o niczym nie świadczy, Carlos miał bowiem aż nadto czasu, by je opłukać, znów napełnić i wznieść toast za pomyślność przedsięwzięcia.

Taki był przebieg wydarzeń według ekspertyzy detektywa. Niewykluczone, że zdołał on również ustalić tożsamość owej kobiety. Lub też inne szczegóły dotyczące osób zainteresowanych. Ciotka Mercedes zapewniła mnie jednak, że nikt z rodziny nie widział raportu na oczy. Była przekonana, że Amelia zniszczyła go po śmierci ojca.

Wszystkie tropy prowadzą zatem do jednego wniosku: Carlos nigdy nie był zakochany w Amelii; nawet nie pociągała go fizycznie. Ożenił się, żeby dysponować wedle

44

swojego widzimisię jej pokaźnym majątkiem, licząc na brak doświadczenia wybranki i jej zakochanie. W jego kalkulacjach nie mieściła się absolutnie wierność żonie czy zmiana stylu życia. Niespodziewany impas, związany niewątpliwie z długami karcianymi, zmusił go do zmiany planów i szybkiej „akcji" w celu pozyskania gotówki. Nie przyszło mu do głowy przedstawić całą sytuację Amelii i prosić ją o potrzebną sumę – którą niewątpliwie by uzyskał. Doszłoby to bowiem do uszu ojca i sprowokowało kontrolę niweczącą wszelkie plany. No i wreszcie, co tu dużo gadać: był z niego szubrawiec. Nie ma w tym stwierdzeniu nic odkrywczego. Niezrozumiałe, dziwne jest tylko, że Amelia wciąż kochała kogoś takiego. *Jemu* to właśnie wydaje się staroświeckie i w ogóle *go* nie obchodzi.

V

Właściwie nie wiem, dlaczego wydaje *mu* się staroświeckie. Fakt: dzisiaj większość kobiet postąpiłaby zupełnie inaczej, ale wtedy również. To nie była typowa reakcja; raczej zachowanie niezwykłe, które i w tamtych czasach zwracało uwagę i budziło powszechne zdumienie.

Ojciec przyjechał do Paryża i pierwsze, co uczynił, to dał znać na policję. Logiczne. Ani przez chwilę nie wątpił, że ma do czynienia z hochsztaplerem, łobuzem, który wykorzystał jego córkę w najbardziej niegodny sposób. Kiedy zatem zyskał pełen wgląd w sprawę, oświadczył, że złoży doniesienie. Jednak Amelia nie dopuściła do tego. Być może od samego początku zdawała sobie jasno sprawę, że powrót Carlosa możliwy jest tylko pod warunkiem, że ona sama okaże wyrozumiałość i cierpliwość. Gdyby zależało jej na odzyskaniu biżuterii i pieniędzy lub gdyby chodziła jej po głowie zemsta za despekt, który ją spotkał, pozwoliłaby go zatrzymać. Może mogłaby także doprowadzić do jego uwięzienia. Jeśli jednak tym, co pragnęła odzyskać, był sam Carlos, nie pozostawało jej nic innego jak zaniechać pościgu i czekać.

Musiała pohamować zapędy nie tylko żądnego pomsty ojca, ale również teścia, który określił postępek syna jako wstyd i „ujmę na honorze", sugerując wejście na drogę

46

sądową. Amelia tymczasem nie chciała ani oddawać Carlosa w ręce sprawiedliwości, ani przeprowadzać legalnej separacji.

Według mnie ta jej decyzja, dla całej rodziny bulwersująca i – zdaniem niektórych – świadcząca o fanatyzmie religijnym, była gestem miłości. Przywodzi mi to na myśl zdarzenia, których byłam świadkiem, na pozór niezwiązane z samą Amelią, pomocne jednak w zrozumieniu jej postawy. We wszystkich przypadkach chodzi o zachowania sprzeczne ze zdrowym rozsądkiem i normami postępowania przyjętymi przez ludzi, którzy mają jako tako poukładane w głowie.

Pierwszy raz miałam z czymś podobnym do czynienia w wieku piętnastu lat, kiedy wyjechałam z domu na ostatnie lata nauki przed maturą. Mieszkałam w bursie, w której rządy sprawowała kierowniczka, taka cnotka-dewotka. Tam poznałam Sarę; robiła dyplom nauczycielki i miała dwadzieścia lat. Pochodziła z bardzo bogatej rodziny, posiadającej ziemię, stada. Miała narzeczonego – niezwykle przystojnego chłopca z ubogiego domu. Matka Sary, kobieta jeszcze młoda, jednak dość zaniedbana, która nosiła się jak chłopka i wyglądała na dużo starszą, była przeciwna temu związkowi. Ojciec Sary już nie żył, ale jej wujowie i ciotki podzielali opinię matki i również nie akceptowali chłopaka, który – jak mówili – nie miał co do gęby włożyć. Sara za to miała, i owszem, ale schła z miłości do ubogiego konkurenta. Znosiła kary, zamykanie w domu, wymysły matki – nawiasem mówiąc, osoby może nie prymitywnej, ale dość niepohamowanej, która kiedyś, w porywie złości, zdzieliła ją kijem do poganiania krów. Mimo to Sara słała narzeczonemu list za listem i widywała się z nim potajemnie. Wykorzystywała każdą okazję, żeby pojechać do wsi, a czasem odwiedzała go nawet bez wiedzy swojej wychowawczyni i rodziny. Ta prędzej czy później i tak dowiadywała się

47

o wszystkim i znów zaczynały się reprymendy i bury. Wszystko jednak na nic. Sara była nieugięta. Podziwiałam ją w milczeniu. Z wysokości swoich dwudziestu lat patrzyła na mnie jak na uczenniczkę-kujonkę, która i tak nie jest zdolna jej zrozumieć. Ja jednak rozumiałam; przeczytałam więcej powieści niż wszystkie inne dziewczynki razem wzięte, a poza tym – to, co przeżywała Sara, było tak ekscytujące! Zupełnie jak film dozwolony tylko dla widzów dorosłych. Jego bohaterowie to moja koleżanka i jej chłopak. A źli – to matka i reszta rodziny. Nie wiem: może dlatego, że byłam w nią wpatrzona, jakby była Julią, a może po prostu potrzebowała sprzymierzeńca przeciw rozsądnym argumentom swoich przyjaciółek, dość, że dopuściła mnie w końcu do kręgu najbliższych powierniczek – po tym, jak złożyłam obietnicę, że ani mru-mru nikomu o tym, co usłyszę. (Rozumiem, że przyrzeczenia nie obejmują słowa pisanego; nie można oczekiwać spełnienia obietnic nierealnych. Mam nadzieję, że nie jestem w tym przekonaniu odosobniona).

Widziana z bliska, historia okazywała się bardziej mętna, niż się wydawało. Chłopak nie odpisywał na listy ani nigdy Sary nie odwiedzał, gdy tymczasem dziewczyna, trawiona gorączką, czekała tylko okazji, by wyrwać się do wsi. Każda taka wizyta kosztowała ją cięgi, a my wszystkie, słysząc jej skargi, uważałyśmy, że coś tu jest nie w porządku: to niesprawiedliwe, żeby ona tak się starała, gdy on nie okazuje zainteresowania. Sara patrzyła na to zupełnie inaczej.

– Biedny chłopak! Wie, że moja rodzina nim gardzi, i dlatego tak się zachowuje – argumentowała.

Kiedyś po wizycie w domu zjawiła się w bursie z rozciętą wargą. Jedna z dziewcząt, która pochodziła z tego samego miasteczka i znała ją wcześniej, spytała na ten widok:

– Co, matka czy Miguel?

Sara zaczerwieniła się i odparła, że nie Miguel, że właściwie to było tylko raz i wszystko przez nią, wpadła w histerię i on uderzył ją w policzek, żeby się opamiętała, i potknęła się, i upadła tak nieszczęśliwie. Coś za gęsto się tłumaczyła. Zorientowałam się, że stara się podtrzymać znajomość, której chłopak nie chce ciągnąć i dlatego ani Sary nie odwiedza, ani do niej nie pisze. Na domiar złego wyżywa się na niej, w słowach i gestach: wrzeszczy na nią, robi jej afronty przy ludziach, zadaje się z innymi dziewczętami, a chyba nawet ją bije. Otóż Sara twierdziła, że wszystkiemu winna jest jej rodzina, że Miguel ją kocha, lecz nie może się zachowywać inaczej, bo oni zatruwają mu życie – nazywają go łachmytą i uważają za łasego tylko na pieniądze. Mężczyzna ma swój honor. Chłopak nie może znieść takiego traktowania i go ponosi, a wszystko skrupia się na niej. Ona jednak wie, że Miguel naprawdę ją kocha, i dlatego nic dla niej nie znaczą przykre słowa czy gesty podyktowane wyłącznie dumą i poczuciem krzywdy.

Przez jakiś czas sprawy toczyły się takim trybem, a nawet wyglądały coraz gorzej, jako że przeszkody nie tylko nie studziły zapału Sary, lecz jeszcze go potęgowały. Wciąż wymykała się potajemnie na spotkania, aż wreszcie oświadczyła matce, że nawet skatowana przez nią na śmierć i wygnana z domu, nie zostawi Miguela i jak będzie pełnoletnia, odejdzie z nim, i tyle ją zobaczą. Na to matka załatwiła notarialne wydziedziczenie, mimo że Sara była jedynaczką. Od tej chwili Sara zaczęła tłumaczyć wszystkim, że Miguel woli z nią zerwać, bo nie chce, żeby traciła przez niego majątek. I dalej łaziła za nim i znosiła jego humory.

Ponieważ rodzina odcięła jej przypływ gotówki, więc żeby widywać ukochanego, sprzedała wszystko, co miała ze złota: kolczyki, zegarek po ojcu, bransoletkę z wygrawerowanym swoim imieniem, a także łańcuszek i medalik od pierwszej komunii. Nie mogła jeździć autobusem, bo zawsze ktoś z rodziny węszył na przystanku, toteż brała taksówkę i odstawiała całe przedstawienie. Wkładała męski kapelusz i okulary, żeby nikt jej po drodze nie rozpoznał, wysiadała ukradkiem przed domem Miguela i umawiała się z taksówkarzem na powrót. Podróż – czasem daremna – zajmowała jej pełne dwie godziny. W bursie musiała być o dziesiątej, żeby dyrektorka nie zauważyła jej nieobecności przy kolacji, a z kolei we wsi nie miała czego szukać przed piątą, kiedy to Miguel wychodził z fabryki. Matka Miguela nie pozwalała jej przestąpić progu domu, gdy nie było syna – rzekomo w obawie przed jej rodziną, ale raczej dlatego, że Miguel nie chciał, żeby Sara przychodziła bez jego zgody. Tak więc Sara godzinami wyczekiwała pod drzwiami i nieraz wracała, nie zobaczywszy się z nim. Nie wchodziło w grę wcześniejsze powiadamianie go, bo wtedy na pewno by się nie stawił na spotkanie. Jednak nie zawsze te wizyty musiały przybierać tak smutny obrót, bo bywało, że zjawiała się w bursie, promieniejąc radością. Cała w skowronkach, natychmiast wybierała się do wsi z powrotem, po czym z reguły wracała jak z krzyża zdjęta.

Jakoś na krótko przed końcem roku koleżanki postanowiły powiedzieć jej, co myślą na ten temat: że nie może pozwolić, aby Miguel traktował ją w ten sposób ani chodził z innymi dziewczynami, że to ją upokarza, „poniża" – nawet w jego oczach (pamiętam dobrze, że użyły tego słowa; zahaczało o pojęcie godności, dumy, które wówczas mocno mnie zaprzątało) – i że wreszcie będzie ją mniej szanował.

Sara popatrzyła na nas tak, jak mogłaby patrzeć dziwka na zakonnicę, która próbuje jej wytłumaczyć sztukę zaspokajania mężczyzny. To nie była pogarda; raczej przekonanie, że jesteśmy zbyt ograniczone, by ją zrozumieć, spojrzenie i ton kobiety doświadczonej, która rozmawia z niewinnymi dziewczątkami.

– Wiem dobrze, że mnie kocha – powiedziała. – Kobieta nigdy się w tym nie myli. Wszyscy sądzą jednak, że zależy mu tylko na moich pieniądzach, a przecież każdy ma swój honor. Muszę mu wynagrodzić wszystkie przykrości, jakie znosi z mojego powodu.

Od tej pory nabrałam przeświadczenia, że jeśli się kogoś kocha, znajdzie się usprawiedliwienie na wszystko, a jeśli się nie znajdzie – to i tak nie ma różnicy. Niestety, nie przestajemy kogoś kochać tylko dlatego, że jest człowiekiem złym. Mężczyźni rozwodzili się nad tym ponad miarę, tworząc typ femme fatale. Kobiety, przeciwnie, długi czas nie miały odwagi ujawnić się ze swoją miłością do człowieka nikczemnego lub nierozumnego. Georges Sand nazywała „aniołem" każdego, w kim była zakochana, a niezłe to były ptaszki, przynajmniej niektórzy! Gertrudis de Avellaneda, boska Tula, wynosiła pod niebiosa Ignacia de Cepedę, który był przystojny, ale absolutnie prymitywny i postąpił wobec niej niegodziwie. Postać mężczyzny godnego pogardy, który rozkochuje w sobie kobiety, stworzył w literaturze hiszpańskiej zakonnik, Tirso de Molina, i niewykluczone, że w wykreowaniu bohatera – zdeprawowanego do szpiku kości – pomogły mu zwierzenia kobiet. Zorrilla ratuje swojego don Juana dzięki interwencji kobiety; Tirso natomiast nie ma zamiaru ukazywać zbawczej siły miłości, lecz odmalowuje egoizm i przewrotność uwodziciela, który ma na względzie jedynie chwilową przyjemność i lekce sobie waży sprawiedliwość wieczną. „Nierychło jeszcze nadejdzie!" – brzmi jego odpowiedź na przypomnienie o grożącej karze. I to właśnie mężczyzna, zakonnik, potrafił ukazać urok i atrakcyjność popełnianego zła.

51

To samo dotyczy braku lotności. Kobieta rzadko przyzna, że jest zakochana w pięknisiu-głupcu. Zawsze staramy się wydobyć jego ukryte zalety. Mężczyźni – nie. Niektórzy nawet jawnie manifestują upodobanie do głupich pięknotek. I to bynajmniej nie ci najprymitywniejsi. Ktoś tak wrażliwy jak Bécquer składa nawet poematy ku ich czci:

Milcząc, przechodzi, a w jej każdym ruchu
dźwięczy harmonia niema;
gdy ścichną kroki, jeszcze we wspomnieniach
uskrzydlonego hymnu brzmi kadencja.
(...)
Jest w niej pojmane światło, wonie,
kształtów i barw paleta,
zapładniająca postać wszelkich pragnień,
w której swe źródło wieczne ma poezja.

Że nierozumna? Cóż, dopóki tajna
dla mnie jej duszy głębia,
droższe mi wszystko, o czym zda się milczeć,
niż to, co inna miałaby mi zwierzać.

Nawet przy założeniu, że słychać w tym ton drwiny, że owszem, razi go jej ciasnota, i tak ten obraz kobiety jako obiektu pięknego i niemego, pobudzającego swobodną wyobraźnię mężczyzny, nie tylko odpowiada koncepcji miłości w romantyzmie, ale jest pewnym constans w męskim świecie miłosnym. Mężczyźnie do niczego absolutnie nie jest potrzebna inteligencja kobiety. Wystarczy mu, żeby kobieta była ładna i miła, a im rzadziej głos zabiera, tym lepiej. Kobiety, przeciwnie, zawsze musiały usprawiedliwiać swoją skłonność do mężczyzny jego talentami, zaletami umysłu, dobrocią. Jeśli nie był zdolny, nie miał pozycji, sławy, nie odznaczał się szlachetnością, zbyt wyraźnie było widać, że to, co trzyma przy nim kobietę, to jej namiętność. Właśnie dlatego tak niezręczna była sytuacja Amelii. W postępowaniu Carlosa trudno dopatrzyć się głupoty czy nikczemności; za to na pewno był naciągaczem i oszustem. Naturalne okazałoby się, gdyby Amelia wystąpiła o unieważnienie małżeństwa – mężczyzna nie okazał się dobrym materiałem na ojca rodziny. Z jakiej racji przyzwoita dziewczyna miałaby pozostawać związana z kimś takim?

Ojcu Amelia powtarza, że małżeństwo to nie jest coś, czego można się łatwo pozbyć, jak się zrzuca przymierzone ubranie, które nie pasuje. Chociaż nie używa dosłownie tego porównania. Przez dłuższy czas ogranicza się do powstrzymywania ojca: „Nie podejmuj żadnych kroków, poczekaj, jeszcze nic nie rób...". A gdy ojciec nalega, żeby wreszcie uregulowała swoją sytuację, stwierdza zdecydowanie:

– Nie chcę separacji. Wyszłam za mąż na całe życie i nie zmienię tego aż do śmierci.

Po raz pierwszy w domu pada słowo: szaleństwo. Z ust ojca, a także ciotek: jest przecież taka młoda, Kościół nie oczekuje od niej podobnego poświęcenia, na pewno uzyska orzeczenie nieważności, bez dwóch zdań, a już przynajmniej separację od łoża i rozdział dóbr. Amelia nie przystaje na taką propozycję.

– Powiedziałam przed ołtarzem, wobec Boga, że będę jego żoną, póki nas śmierć nie rozłączy. I będę.

Ojciec milczy. Patrzy na swoje siostry, na szwagierki i widzi w ich oczach to, co pewno one widzą w jego: bezradność, bezsilność sprzeciwiania się czemuś, co ich wszystkich przerasta, co jest mądrzejsze od rozumu, od sugerowanych przez nich zdrowych i logicznych argumentów. To miłość? Fanatyzm religijny? Obie te rzeczy naraz? Ojciec uświadamia sobie, że przegrał batalię, ale pyta jeszcze, na poły przelękniony, na poły zatroskany:

– Czy po tym wszystkim, co cię spotkało z jego strony, potrafiłabyś do niego wrócić?

Na co Amelia, mając widocznie przemyślaną tę kwestię, odpowiada bez chwili wahania:

– Jeśli będzie żałował – tak.

Ciotki wpadają w popłoch, wytaczają przeciw Carlosowi ciężkie kolubryny, ale ojciec ucina wszelką dyskusję: mają ją zostawić w spokoju. Domyśla się, że jest to decyzja nieodwołalna, i wyczuwa skrępowanie, z jakim Amelia mówi o swoich uczuciach. Ma wrażenie, że religia jest tylko pociechą w głębszym bólu. Amelia kocha tego nieszczęśnika, którego on najchętniej udusiłby własnymi rękami. Kocha go tak, jak się kocha pierwszy raz: na zawsze i bezwarunkowo. Nic nie skłoni jej do zmiany zdania. Może tylko czas, myśli ojciec; miną lata, on nie wróci, Amelia pozna innych mężczyzn. Jednego tylko musi dopilnować – i leży to w jego mocy – żeby Carlos nigdy nie przestąpił progu jej domu.

– Niech będzie, jak chcesz, Amelio. Ale nie pozwolę, żeby jeszcze raz cię okradł – ani mnie. Zabezpieczę cię na przyszłość. Póki ja żyję, nie odbierze ci więcej ani grosza.

Amelia się zgadza. Pieniędzmi się brzydzi, jak każdy, komu nigdy ich nie brakowało. Ilekroć wyrażała jakieś życzenie materialne, spełniano je. Ojciec oddycha z ulgą. Byle tylko do tego gagatka dotarło, że dziewczyna nie dysponuje swoim majątkiem; jak nie wyniucha pieniędzy, będzie się trzymał z daleka. Czas leczy rany, kiedyś Amelia spojrzy na wszystko spokojniej, a gdy jego, ojca, nie stanie, będzie mogła rozporządzać majątkiem wedle swej woli.

Może gdyby nie umarł tak szybko, sprawy potoczyłyby się inaczej. Niewykluczone. Trudno o tym wyrokować. Sądzę jednak, że jego śmierć nie zmieniła w zasadniczy sposób biegu wypadków. Najwyżej skomplikowała historię, dorzuciła niepotrzebne wątki. Z pewnością sytuacja byłaby bardziej klarowna, gdyby Amelia i Carlos spotkali się ponownie dopiero w starości. Jak w dramacie Zorrilli. Don Juan Tenorio wygłasza swoje: „Czyż nie tak, moja gazelo...?", po czym doña Inés pojawia się dopiero w scenie na cmentarzu, aby wyciągnąć doń rękę i zbawić go od potępienia wiecznego. Czyż poza tym jest potrzebna?

Może i prawda, że to romantyczne, ale na pewno nie staroświeckie, w takim znaczeniu, w jakim *on* używa tego słowa. To, że jakaś kobieta przez całe życie pozostaje wierna miłości do człowieka, którego więcej nie spotyka i który na tę miłość nie zasługuje, istotnie nosi znamiona szaleństwa, ale – któraż miłość nim nie jest? Albo kto zasługuje na miłość? Kto zasługuje na to, by stać się centrum wszechświata, źródłem wszelkiej radości, racją nadającą sens życiu? Na miłość nie można zasłużyć. To nie jest transakcja czy interes, w który wkładasz tyle i tyle, by odpowiednio wiele zyskać. Zwracamy się ku komuś z miłością albo sami stajemy się jej obiektem, lecz na ogół nie ma współzależności między obiema relacjami.

Carlos mógł sobie być, jaki chce, bowiem uczucie, jakie żywiła względem niego Amelia, nie potrzebowało wzajemności, żeby trwać; samo sobie wystarczało. Z jakiej więc racji miałaby stawiać na miejscu Carlosa innego mężczyznę? Czy jej postanowienie byłoby mniejszym szaleństwem, gdyby owdowiała po śmierci człowieka ogólnie szanowanego? Mówi się zwykle: nie trzeba sobie świata zawiązywać, trzeba brać z życia, co się da... Brać co? Następną miłość, następny zawód, następne zniechęcenie.

Przekonywać się coraz mocniej, że wszystko mija, wszystko odchodzi w zapomnienie, nikt nie jest niezastąpiony... Ale to nie jest prawda, lub też nie cała prawda. Bywa, że kogoś nie można albo nie chce się zastąpić. Więcej: bywa, że ktoś chce kochać dalej, nie chce zapomnieć, choćby oznaczało to już tylko cierpienie, ostateczną formę miłości.

Gdyby wszystko potoczyło się tak, jak umyślił sobie ojciec, historia przybrałaby pewno inny obrót. Może Amelia unieważniłaby małżeństwo, żeby wyjść za innego mężczyznę. Wtedy jednak nigdy bym o niej nie napisała. Tak samo gdyby się zamknęła na resztę swych dni ze ślubną suknią, jak panna Havisham u Dickensa. Zaznaczyłam już na początku: nie przepadam za historiami, w których bohaterka ucieka przed cierpieniem w szaleństwo. W Amelii podziwiam to, że ani nie odebrała sobie życia, ani nie oszalała, ani nie zapomniała – czyli nie wybrała żadnej z trzech dróg nieprzeżywania miłości. To, co mnie interesuje i co chciałabym zrozumieć, to ten rodzaj miłości, która nie unosi się pychą, nie szuka poklasku, nie szuka swego, nie pamięta złego, wszystkiemu wierzy, zawsze czeka, wszystko znosi, wszystko daje i niczego nie żąda, która nigdy nie ustaje, która trwa wiecznie. Może taką miłość czuje tylko ten, kto wierzy w Boga. Amelia wierzyła.

VI

Po krótkim pobycie w domu na wsi Amelia wróciła do miasta i rozpoczęła życie kobiety świeżo owdowiałej: rano uczestniczyła we mszy w kościele, po południu szła na przechadzkę z ojcem albo robiła zakupy z ciotkami. Z koleżankami z panieńskich czasów widywała się rzadko i noga jej nie postała na żadnym balu ani wieczorku tańcującym. Uczestniczyła jedynie w imprezach dobroczynnych i bywała w teatrze – zawsze jednakowo zadbana, w strojach obstalowanych u dobrych krawców, emanująca zwykłą sobie pogodą i wdziękiem. W ciągu pierwszych miesięcy po tym, jak została sama, pojawiała się publicznie jedynie w towarzystwie ojca. Oboje lubili długie, spokojne spacery. Amelia ujmowała ojca pod rękę lub też on ją otaczał ramieniem w geście opieki. Wyobrażam ich sobie nad morzem, choć w rzeczywistości przechadzali się topolową aleją. Widzę, jak spacerują po raz pierwszy od powrotu Amelii do domu. Jest popołudnie; o tej porze ludzie wychodzą popatrzeć na innych i pokazać się. Ojciec ma niewiele ponad pięćdziesiąt lat, jest przystojny, a tego dnia specjalnie zależy mu na tym, żeby dobrze się prezentować. Wygląda bardzo elegancko, niemal wytwornie, ma na sobie garnitur jak spod igły, może nawet trochę zbyt szykowny jak na zwykłą przechadzkę. Amelia nie śmie mu zwrócić uwagi. Mimowolnie porównuje go z Carlosem – tamten był zawsze tak elegancki, ubrany stosownie do okazji. Ona sama wybrała dzisiaj strój skromny, ale taki, w którym jej do twarzy. Żeby nikt sobie nie pomyślał, że mąż ją zostawił, bo brakowało jej urody albo dobrego smaku.

Z początku Amelia ma nadzieję, że może da się utrzymać sprawę w dyskrecji. Za pośrednictwem ciotek stara się rozpowszechniać wersję, że Carlos musiał się przenieść do Anglii w związku z pracą i pozostanie tam dłużej. Ponieważ ona nie zna angielskiego i nie mieszkała nigdy w wielkim mieście, postanowili, że pojedzie sam. Cała rodzina referuje to jednak z tak nienaturalnym ożywieniem, zaprawionym niepewnością, że nawet najmniej złośliwi i najżyczliwsi wyczuwają, że coś się w tej opowieści nie zgadza. Tylko Amelia mówi o tym we właściwy sposób, być może dlatego, że w istocie tak to widzi. Któraś z jej dawnych koleżanek, sama niezamężna, złośliwie, czy też przez nieuwagę, napomyka, że nie jest normalne, aby świeżo poślubieni małżonkowie mieszkali osobno, na co Amelia odpowiada z całym spokojem: „Lepiej, żebym czekała na niego tutaj”. I nie dodając żadnego komentarza, zmienia temat.

Jak się wkrótce okazuje, wszyscy doskonale wiedzą, że Carlos ją porzucił – nie tylko przyjaciele i znajomi, ale także osoby, z którymi kontakt ogranicza się do kupna kilku ciastek bądź torebki krochmalu do serwetek. Widać to po sposobie, w jaki na nią patrzą, w tej mieszaninie ciekawości i współczucia malującego się na ich twarzach. Postanawia zatem wychodzić z domu jak najrzadziej i unikać jakichkolwiek wyjaśnień i tłumaczenia. Gdy ktoś ją pyta o Carlosa, odpowiada sucho, że mąż przebywa za granicą, i zmienia temat rozmowy. Orientuje się jednak, że lepiej nie chować się przed światem. Ojciec ma rację: powinna się trochę przewietrzyć – krótki spacer dobrze jej zrobi – a nie tylko wychodzić do kościoła i sprzątać w szafach. Nie mówi jej, że musi stawić czoło ludzkiemu wścibstwu i przełknąć gorzką pigułkę, ale Amelia chwyta jego myśl. Ona też ubrała się starannie.

W drzwiach ojciec podaje jej ramię, które Amelia ujmuje mocno, bo ma wrażenie, że drżą pod nią nogi. Ojciec odczuł siłę tego uścisku i nic nie mówi, tylko napina mięśnie, żeby Amelia mogła się mocno wesprzeć. Nie pozwoli jej upaść, w żaden sposób, w żadnym sensie. Nawet jeśli kiedyś brał pod uwagę powtórny ożenek, zwłaszcza gdy Amelia zaczęła się przygotowywać do ślubu i swego nowego życia, teraz zarzucił tę myśl całkowicie. Jest potrzebny Amelii i nie może jej zawieść. Raz już zawiódł: powinien był dowiedzieć się czegoś więcej o tym hultaju, tym rozpustniku, ale ten zaświecił mu w oczy herbami, jak zresztą całej rodzinie. „Znakomita partia!". I cóż powiedzą teraz ci, którzy mu gratulowali, że wszedł w kręgi arystokracji? W głębi duszy będą się cieszyć, to pewne; ludzie są zawistni i podli. Proszę, proszę, jak to się z nami ochoczo witają! Chcą poszpiegować, przypatrzeć się z bliska tej biednej twarzyczce, zobaczyć, jak biedna Amelia cierpi, nie wierz w to ich nagłe zainteresowanie, nic im nie opowiadaj, nikomu, najchętniej wleźliby ci z kaloszami do duszy...

Ojciec pospiesznie odwzajemnia ukłony i pozdrowienia, podchwytuje komentarze na temat pięknej pogody, bujnych topoli w alei. Nie stwarza sposobności do niedyskretnych pytań, tak że nikt, chyba tylko jakiś roztrzepany albo natrętny rozmówca, nie odważa się spytać o nieobecnego. Choć zjawia się i niewiasta, a jakże, która demonstrując ostentacyjnie, że wie o wszystkim i że uważa się za przyjaciółkę rodziny, ściska Amelię wylewnie i zapewnia:

– Ugodziło mnie to w samo serce, Ameleczko, jakbyś była moją rodzoną córką. Ale cieszę się, że jesteś taka pogodna i ślicznie wyglądasz.

Amelia zachowuje kamienny spokój, uśmiecha się uprzejmie i zmienia temat. Ojciec jej sekunduje. Ta sama scena, w nieco odmiennych wariantach, powtarza się w ciągu kilku kolejnych dni. Lecz powoli ludzie przestają się nimi interesować, obserwować ich i komentować tamto wydarzenie. Już się nie zatrzymują, ograniczają się do „dzień dobry, dzień dobry", odwzajemniają uśmiechy i gesty pozdrowienia. Amelia i jej ojciec wychodzą na spacer niemal każdego wieczoru o zachodzie. Widzę, jak idą powoli, trzymając się pod rękę. Zmierzcha się i w alei jest już niewielu przechodniów. Oboje oddychają z ulgą i wymieniają uśmiech wspólników: nawet nieźle poszło. Ramię w ramię idą dalej w milczeniu. Nie rozmawiają, rozumieją się bez słów. Ojciec nigdy na nią nie krzyczał, zawsze bronił jej przed całą rodziną, rozumiał ją i służył jej pomocą. Dochodzą do końca bulwaru i zatrzymują się przed samym morzem. To nie topolowa aleja. To morze. Nie potrafię ich zobaczyć w alei... Stoję twarzą do morza na starym nadbrzeżu, a mój ojciec kładzie mi dłoń na ręce, którą go trzymam pod ramię. Dłoń ma szorstką, mocną od pracy w polu. Opowiadam mu, tłumaczę się, usprawiedliwiam. On głaszcze mnie po ręce i mówi tylko: „Dobrze zrobiłaś; pamiętaj, że możesz liczyć na ojca". Wracamy wolno; obejmuje mnie wpół. Lubi tak ze mną chodzić. Często biorą nas za parę, na co on się puszy z zadowolenia. Zawsze miał smukłą figurę, drobne stopy, był przystojnym, szczupłym mężczyzną. Aż umarła matka i zaniedbał się. Bardzo się posunął, choć wciąż powtarza, trochę już zmęczonym i nieco drżącym głosem: „Możesz liczyć na ojca...". I znowu, znowu. Dam spokój, nie będę próbować tłumaczyć tego, co niewytłumaczalne, szukać racji, czuć się winna. Wspieram się na jego ramieniu, jedynym, które się nie odsunie, gdy będzie mi potrzebne, w radości i smutku, w zdrowiu i chorobie, bez przysięgi, obietnicy, błogosławieństwa, w sposób naturalny, zawsze obok mnie, jedynym, póki nas śmierć nie rozdzieli; oboje wiemy, ale nie chcemy o tym rozmawiać, o tej chwili, w której on też odejdzie, będzie musiał odejść, i już nie powie mi: „Możesz liczyć na ojca".

Ostatnie błyski słońca nikną za horyzontem. Niebo robi się ciemnoniebieskie, prawie czarne; gaśnie Gwiazda Wieczorna. Amelia razem z ojcem wracają do domu, trzymając się pod rękę; idą wolno opustoszałą ulicą. W dali słychać, jak pobrzękują klucze i stukają okute laski nocnych stróżów.

VII

Amelia nie sprawiała wrażenia nieszczęśliwej. Okazywała ludziom życzliwe zainteresowanie, chociaż nie pojawiła się więcej w żadnym miejscu, w którym bawią się dziewczęta w jej wieku. Żyła tak, jakby miała sześćdziesiąt lat – jak owdowiała stara kobieta. Czy raczej stara kobieta, która czeka na powrót męża. Zawsze bowiem zachowywała się jak mężatka. Przestała używać panieńskiego nazwiska i przedstawiała się jako señora taka a taka – tyle że bez hrabiowskiego tytułu męża. Swoim zachowaniem nie chciała utrudniać Carlosowi ewentualnego powrotu. I pewna jestem, że robiła tak z miłości, a nie z jakichkolwiek względów społecznych czy religijnych. Wiara była tylko pretekstem, by trwać z godnością w postawie ocenianej krytycznie przez całe otoczenie. Myślę, że Amelia kochała Carlosa do szaleństwa i gotowa była znieść wszystko, byle mieć go koło siebie. O tym jednak w rodzinie milczano, choć nie wykluczano takiej postawy, jak nie wykluczał jej ojciec, który dlatego właśnie starał się czuwać nad majątkiem córki.

Wielka miłość zawsze budzi nieufność w ludziach trzeźwo myślących, jak gdyby tak intensywne uczucie miało w sobie coś zdrożnego i nie mogło zaowocować niczym innym niż nieszczęście. Arystoteles uważał miłość za namiętność, nieład duszy, i idea ta wciąż jest żywa. O kimś, kto jest bardzo zakochany, nie mówimy zwykle, że kocha drugą osobę, darzy ją miłością. Mówimy raczej, że za nim, za nią, szaleje, i zawsze nadajemy tym słowom delikatny odcień ironii albo współczucia, żywionego wobec kogoś, kto ma zmącony zdrowy osąd. Miłość wzbudza nieufność, ponieważ zwykliśmy utożsamiać ją z brakiem rozsądku, zwłaszcza jeśli jej obiekt oceniamy jako niegodny. Dlatego mówię, że Amelia kochała Carlosa do szaleństwa. I dlatego też nikt z rodziny nie chciał tego uczucia zaaprobować – wszak Amelia była uosobieniem rozsądku, we wszystkim prócz stosunku do tego mężczyzny. Zresztą ona sama włączała się w nurt społecznego potępienia dla miłości-namiętności. Zawsze starała się przedstawiać sytuację tak, jakby chodziło jedynie o obowiązek moralny: zbawić duszę owego nędznika – podobnie jak celem doñi Inés było wybawienie od ognia piekielnego don Juana. I do końca podtrzymywała to wrażenie: nie wiem już, fałszywe czy nie. Być może sama przed sobą musiała usprawiedliwić fakt owego zniewolenia względem Carlosa. A troska o jego zbawienie stanowiła dobry pretekst, żeby do niego wrócić i dzielić z nim życie, nawet gdyby ją zdradzał.

Jest w jej zachowaniu akcent hipokryzji, który bardzo mnie drażni, choć sądzę, że nigdy nie zamierzała uchodzić za wzór małżonki, tylko, najpierw i przede wszystkim, zachować godność i nie pozwolić innym dotykać żywej rany. Otóż nigdy nie przyznała się nikomu do wielkiej namiętności. Była żoną Carlosa i spełniała obowiązki wynikające z sakramentu. Jeśli pobłądził, znosiła to – i basta. Mimo swojego wyglądu jasnowłosej porcelanowej laleczki przypominała biblijną dzielną niewiastę. Poszargała wszelkie świętości, w dosłownym tego słowa znaczeniu, od religii po więzy rodzinne, byle tylko połączyć się znów z tym człowiekiem, który z niej drwił. Nie była zdolna go odtrącić, nawet po to, by pozwolić ojcu umrzeć spokojnie.

Carlos pojawił się znowu w mieście, kiedy ojciec umierał na raka płuc. Przyszedł do domu. Ojciec był już ciężko chory, ledwo mówił, ale na jego widok, przy świadkach, zawołał: „Wietrzysz śmierć niby sępy!".

Scena żywcem wzięta z powieści brukowej, mimo to chętnie bym ją opowiedziała. Mam słabość do melodramatycznych obrazków, które u większości współczesnych pisarzy wywołują dreszcz obrzydzenia; niebezpieczeństwo rozbicia się o rafę taniej sensacji jest oczywiste. Eduardo Mendoza również w nich gustuje, a radzi sobie z nimi w sposób godny Pereza Galdosa: buduje ironiczny kontrapunkt, który wycisza nieco emocje i trzyma je w karbach dyscypliny. Mendoza skłania się ku ironii, pewno w obawie przed wychyleniem się na drugą stronę, gdy tymczasem Galdós balansuje na krawędzi, przyprawiając nas o łzy i śmiech jednocześnie. Weźmy pamiętną scenę, kiedy umierająca Fortunata dyktuje list, w którym powierza nowo narodzonego syna prawowitej małżonce swego kochanka, zaś Estupiñá wtrąca uwagi na temat stylu. Albo, w powieści *Miau*, samobójstwo nieszczęsnego don Ramona Villaamila, któremu wszystko wychodzi na opak: obawia się, czy pistolet się nie zatnie, ma jednak nadzieję, że może nie i że wreszcie zdoła się zastrzelić. Bez ironicznego kontrapunktu jak łatwo popaść w śmieszność! Gabriel Miró radzi sobie z tym doskonale w zakończeniu *El obispo leproso*: Purita, tak piękna, że żaden mężczyzna w miasteczku nie ośmielił się pojąć jej za żonę, wyjeżdża z Olezy. Będzie się opiekować siostrzeńcami, żeby – jak to mówią – nie ubierać potem do końca życia świętych na ołtarzach, więdnąc w staropanieństwie. Na stacji pojawia się don Magín, ksiądz, człowiek gorący i szczery, który umie odkryć smak życia i uczy tego innych. On jeden odważa się wychwalać przy ludziach urodę tej kobiety, on jeden mógł kochać ją tak, jak na to zasługiwała. Purita odjeżdża na zawsze, a don Magín, zdjęty żalem, zasypuje ją w wagonie kwiatami. Purita, pomna, że kiedyś, kiedy była dziewczynką, don Magín przyrównał ją do tuberozy, całuje jeden z tych kwiatów i wręcza mu go. On bierze tuberozę i kłania się, uchylając kapelusza. Pociąg rusza i don Magín zostaje na stacji sam, z tuberozą w ręku:

Delikatny, szeleszczący wietrzyk igrał w jego włosach, targał sutannę. Jak okiem sięgnąć, pola. Purita wychyliła się mocniej. Pod pierwszą akacją na peronie stał don Magín, z odkrytą głową, lekko posiwiały; jedną rękę opuścił, w drugiej trzymał ucałowaną tuberozę. Don Magín z daleka – z daleka na zawsze – wydawał się starszy i bardziej samotny niż ona.

Ja stosuję czasem kontrapunkt dowcipu, ale bywa też, że pakuję się z kopytami w historie absolutnie tragiczne. To dla mnie swego rodzaju egzorcyzm. Kiedy coś mnie przygnębia, a chcę się z tego otrząsnąć, najlepiej, gdy to opiszę. Jakiś czas temu przeczytałam notatkę o wypadku autokaru przewożącego wycieczkę dzieci szkolnych. Było wiele ofiar śmiertelnych. Wśród żelastwa została uwięziona dwunasto- czy trzynastoletnia dziewczynka, ciężko ranna. Jeden z członków ekipy ratowniczej zdołał dostać się pod autobus i otoczył małą ramionami, próbując ją wydostać. Na co ta otworzyła oczy, powiedziała: „Tatuś!"... i umarła.

Wracałam do tej sceny. Myślałam, jakim wzrokiem patrzą na ciebie twoje dzieci, kiedy są małe – ten ślepy podziw, bezwarunkowe zaufanie. I jak niewiele możesz dla nich zrobić. Ale one tego nie wiedzą. I dalej patrzą na ciebie, kiedy cierpią, a ty próbujesz im ulżyć, złagodzić ich ból. Wówczas wkracza jednak przeznaczenie, zły los... Ilekroć wyobrażałam sobie tamtą scenę, coś podchodziło mi do gardła; daremnie próbowałam ją zrelacjonować. Nie pozostało mi nic innego, jak ją opisać. Przyjaciele stwierdzili, że mój artykuł wycisnąłby łzy z kamienia. Niemniej odtąd mogę już o tym opowiadać. Z bólem, oczywiście, ale nie z tym skurczem serca, który odbierał mi mowę. Mamy tu niewątpliwie do czynienia z procesem przetwarzania materii życia w fikcję literacką: opis pozwala przenieść wydarzenie do innego planu rzeczywistości i postrzegać je z większym dystansem. To dlatego obracamy w końcu w literaturę całe swoje życie.

Z drugiej strony lubię doprowadzać ludzi do łez tym, co piszę. Jest to przedziwna inklinacja, z której zdałam sobie sprawę wiele lat temu, kiedy młodsza siostrzyczka koleżanki zaczęła czytać moje opowiadanie. Chodziłam jeszcze do szkoły średniej, miałam więc góra szesnaście lat. Bohaterem opowiadania był mały chłopiec, który staje do radiowego konkursu na opowiadanie, żeby zdobyć trochę grosza i kupić babci prezent na urodziny. Chłopiec jest ubogim sierotą – kimże innym miałby być chłopiec w szanującej się literaturze dla kucharek – i nie ma nikogo poza babcią, która – żeby nie było wątpliwości – jest na dodatek chora i wygląda na bliską śmierci. Chłopiec mówi babci, że musi ją zostawić na chwilkę, bo znalazł się wśród finalistów konkursu, którzy mają się zgłosić w radiu. Po drodze obmyśla, co też wspaniałego kupi babci, jeśli dostanie nagrodę. Wyda wszystkie pieniądze i kupi coś, czego nigdy nie miała. W redakcji rozgłośni mówią mu, że pisze bardzo dobrze, ale to nie jest opowiadanie stosowne dla jego wieku, bo życie jest radosne i kryje w sobie wiele miłych niespodzianek. Pamiętam doskonale ostatnie zdanie. Chłopiec wraca do domu z pustymi rękami, siada przy łóżku babci, a kiedy ta pyta go, co się stało, odpowiada: „Powiedzieli mi, że moje opowiadanie jest zbyt smutne"...

Otóż siostra mojej przyjaciółki, ta dwunastolatka, czyta tekst i nagle widzę, że po policzkach płyną jej dwie dorodne łzy. Nie da się ukryć: pierwszym moim odczuciem była satysfakcja, chociaż zaraz zrobiło mi się nieswojo, że doprowadziłam to dziecko do płaczu, i dopiero odetchnęłam, usłyszawszy: „Strasznie mi się podobało". Moje zadowolenie nie miało granic.

To było bardzo szczególne doświadczenie: przez moment poruszałyśmy się jakby w dwóch różnych planach rzeczywistości. Ona płakała w planie literackim, ja natomiast potraktowałam jej reakcję w kategoriach doświadczeń codzienności i było mi głupio, że odczułam satysfakcję z jej łez. I podczas gdy we mnie dominowało zażenowanie sytuacją z realnego życia, ona czerpała zadowolenie z literatury. Na koniec się spotkałyśmy i mogłam się ucieszyć, wolna od jakichkolwiek wyrzutów sumienia. Ucieszyć? Czym? Wciąż nie umiem znaleźć na to pytanie odpowiedzi, choć minęło tyle czasu. Tym, że nawiązuję z ludźmi bliższy kontakt? Że znajduję potwierdzenie tego, co udało mi się przekazać? Jest w tym pewnie ziarnko prawdy.

Wracając do tematu – chętnie opisałabym zatem scenę śmierci ojca, który leży na łożu boleści, gdy oto zjawia się uwodziciel, by upomnieć się o swoje prawa względem Amelii. Nie zrobię tego jednak, gdyż mam za mało danych, a nie chcę zmyślać. Jedyną osobą, która rysuje mi się wyraźnie, jest ojciec – ze swoją rozpaczą, bólem. Całe życie pełne wyrzeczeń, tyle troski i tyle nadziei związanych z córką, i oto nagle musi zdać sobie sprawę, że wszystko na nic, że Carlos jest silniejszy, i on sam nie zdoła jej od niego uwolnić. Co mógł zrobić? Wydziedziczyć ją, jak matka mojej koleżanki, Sary? Kiedy ktoś stoi u wrót śmierci, miejsce egoizmu i urazy zajmuje w nim zwykle wielkoduszność, choć nie brak i takich, którzy zabierają swoje resentymenty na tamten świat. Jednej z moich koleżanek nie udało się uzyskać przebaczenia matki po tym, jak w wieku osiemnastu lat uciekła z domu z Anglikiem, który uczył w jej szkole. Od owego dnia matka, samotna wdowa, nie chciała więcej o niej słyszeć ani jej widzieć, mimo starań ponawianych przez moją koleżankę, która zresztą jest szczęśliwa ze swoim mężem. Kiedy matka była umierająca, dziewczyna przyjechała prosić ją znów o przebaczenie, ale matka nie chciała z nią rozmawiać. Rodzina sekundowała córce, wchodzącej do pokoju chorej, w nadziei, że kiedy ta ją zobaczy, zmieni zdanie – a także dlatego, że wszyscy lubimy sceny melodramatyczne. Otóż kiedy kobieta poznała córkę, odwróciła głowę do ściany i nie chciała nawet na nią patrzeć. Przyznajcie, że nie brakuje tu niczego: córka łka, klęcząc przy łóżku, całuje ręce matki... ta zaś ostatkiem sił odpycha ją i prosi, by ją zabrano. Wkraczają członkowie rodziny, rozczarowani brakiem happy endu, ale radzi z uczestniczenia w melodramacie; wyprowadzają moją koleżankę na pół zemdloną, gdy tymczasem matka nie odwraca oczu od ściany. I tak umiera. Nie jest to jednak zachowanie typowe. Czasem umierający szantażuje rodzinę i krewnych, by wyrwać im jakąś obietnicę i podporządkować ich sobie. W rezultacie najczęściej mamy jednak do czynienia ze zrezygnowaną wspaniałomyślnością. Matka Sary – kobieta nader wojownicza – zmarła na raka ze dwa czy trzy lata po tym, jak wydziedziczyła córkę, przed śmiercią zdążyła jednak unieważnić poprzedni testament i ustanowić córkę jedyną spadkobierczynią. Ta nie potrzebowała nawet opiekuna prawnego, bo była już pełnoletnia, a matka nie postawiła żadnych warunków ani ograniczeń co do egzekucji testamentu. Kiedy się o tym dowiedziałam, pomyślałam, że Sara ani chybi wyszła zaraz za Miguela. Nie miałam z nią wówczas kontaktu, bo mieszkałam w Madrycie, robiąc specjalizację; spotykałam natomiast dziewczynę pochodzącą z jej miasteczka. Stąd wiem, że owszem, Sara wyszła za mąż, ale bynajmniej nie za Miguela, tylko za kogoś równie bogatego jak ona sama. Muszę przyznać, że mnie zatkało, na co ta dziewczyna, też zresztą nieźle sytuowana, wybuchnęła śmiechem.

– Należało się tego spodziewać – rzekła. – Kiedy już mogła się z nim spotykać bez przeszkód, zorientowała się, że wcale nie jest w jej typie. Jeśli jako narzeczony tak jej dał popalić, to jakiż dopiero byłby w roli męża!

Być może ojciec Amelii też żywił cichą nadzieję, że kiedy córka zostanie sama, pozbawiona jego opieki, będzie umiała przypilnować swoich spraw. I choć nic w jej zachowaniu nie wskazywało na taką perspektywę, nie wydziedziczył jej ani nie próbował wiązać jakąkolwiek przysięgą. W przypadku podobnych uwikłań miłosnych rodzice okazują się zwykle bardziej wyrozumiali niż dzieci. Dzieci potrafią zademonstrować skrajną nieustępliwość, a nawet okrucieństwo. Nigdy nie zapomnę, w jaki sposób Elsa, koleżanka z college'u, ukarała swoją matkę za słabość wobec męża. Ponieważ działo się to w czasach studenckich, sprawa była wałkowana podczas długich nocnych debat i budziła wiele kontrowersji. Otóż ojciec

Elsy ulatniał się z domu i pojawiał, kiedy mu przyszła ochota. Zdaje się, że nie troszczył się zbytnio o dzieci, chociaż przysyłał pieniądze – jeśli je miał. Matka Elsy świata poza nim nie widziała i wpuszczała go do domu i do łóżka, ilekroć zapragnął, czego rezultatem była często kolejna ciąża. Elsa, najstarsza z piątki rodzeństwa, podczas którejś z eskapad ojca wzięła sprawy w swoje ręce. Zabroniła matce – w imieniu wszystkich dzieci – wpuszczać go do domu i kazała przeprowadzić legalną separację. Wolno by jej było wówczas odwołać się do sądu, gdyby ojciec na nią nastawał. Matka w zasadzie się zgodziła i za namową córki zajęła się formalnościami prawnymi, niemniej kiedy tylko mąż pojawił się znów na horyzoncie, rzuciła w diabły wszystkie papiery i otworzyła mu drzwi domu i alkowy. Wówczas Elsa postawiła jej ultimatum: albo mąż, albo dzieci. A ponieważ matka kombinowała, szukając kompromisu, Elsa zebrała rodzeństwo i wyniosła się z nimi do krewnych. Załatwiła dla wszystkich internat przy szkole, a potem stypendia na uniwersytecie. Tylko dwoje najmłodszych wróciło do matki. Trzy starsze dziewczyny nie jeździły do domu nawet na wakacje. Zostawały w internacie, chociaż matka, która, nawiasem mówiąc, wydawała mi się kobietą nieszczęśliwą, wielokrotnie błagała Elsę, żeby wróciła i namówiła dwie młodsze siostry, bezsprzecznie od Elsy uzależnione. Elsa rzeczywiście tyranizowała rodzeństwo, a jej zawziętość wobec matki nabrała cech chorobliwych. Nie życzyła sobie nawet, żeby matka była obecna na jej ślubie. Wystarczy już, że nie chciała znać ojca, ale takie traktowanie matki wydawało się podyktowane niepojętym okrucieństwem i mściwością. Coś było mętnego w tej jej nienawiści do ojca i zadręczaniu matki za to, że była ojcu powolna. W dzień ślubu Elsa wychodziła więc do kościoła z akademika, w którym mieszkała. Matka zaś, nie pytając nikogo, na własną rękę wybrała się do Madrytu ze swojego miasteczka na prowincji, żeby ją zobaczyć, i czekała za rogiem ulicy, koło kościoła, kryjąc się, nie na tyle jednak, żeby nie rozpoznały jej koleżanki córki. Nieszczęsna kobieta, udręczona, poprosiła je, żeby nie mówiły o niczym Elsie. „Prawda, że ślicznie wygląda?" – dodała jeszcze.

Myślę, że Amelia na widok Carlosa traciła trochę rozum, podobnie jak tamta kobieta na widok swego męża. Jedna poświęciła dzieci, bo przecież stojąc wobec wyboru: mąż albo dzieci, wybrała męża. Opłakując bardzo dzieci i tęskniąc za nimi, wolała jednak jego, choć pojawiał się i znikał, kiedy chciał – co popchnęło moją koleżankę do wiadomej decyzji. Druga, Amelia, składała w ofierze ojca, który z pewnością umarł w poczuciu ogromnego zawodu. Trudno zrozumieć, dlaczego Amelia nie zataiła swych uczuć na pewien czas, wiedząc, jak niewiele życia ojcu pozostało. Jak mogła dopuścić do wizyty Carlosa w pokoju ojca? I po co to zrobiła? Czy nie zdawała sobie sprawy, że jego obecność była dla ojca tylko źródłem rozpaczy i udręki? Wyjaśnienia, jakie znajduję, nie świadczą bynajmniej na korzyść Amelii: uczyniła to chyba ze względu na ludzkie języki, żeby nie mówiono, że przyjęła Carlosa wbrew woli ojca. Chciała, żeby Carlos spotkał się z ojcem; wtedy spokojnie mogłaby z nim odejść, z błogosławieństwem ojca, a więc i za aprobatą otoczenia. Nie można także wykluczyć, że, przekonana o swojej misji nawrócenia Carlosa, oczekiwała od ojca przychylności względem winowajcy. A może w ogóle wiele się nie zastanawiała. Carlos pojawił się nieoczekiwanie, więc zareagowała zgodnie z przyjętą linią postępowania: był jej mężem i czekała na niego latami. Mogła też przypuszczać, że przybył prosić jej ojca o wybaczenie. Postawa ojca, niezdolnego w godzinie śmierci przezwyciężyć urazy – podobnie jak kobiety, która umarła, obrócona do ściany, nie przebaczywszy córce – musiała jej się wydawać niechrześcijańska. Ale jednak nie. Amelia wiedziała, że ojciec zrobił wszystko, co mógł, żeby ją ochronić, że jego niechęć była tylko odbiciem cierpienia, jakie Carlos zadał jej samej. Wiedziała, że ojciec nie ożenił się powtórnie, żeby nie ciążyła jej obecność innej kobiety w domu, że podporządkował swoje życie jej życiu – jak mogła pozwolić mu umrzeć w takiej udręce? Nawet jeśli później poszłaby za Carlosem, dlaczego nie oszczędziła ojcu bólu? Ciotka Mercedes ma na podorędziu cytat z Pisma Świętego na temat małżeństwa: „I opuszcza mężczyzna ojca swego i matkę swą, i łączy się ze swoją żoną tak ściśle, że stają się jednym ciałem". Amelia była obrazem oblubienicy doskonałej; poświęciła wszystko dla mężczyzny, którego poślubiła – jak należało uczynić. Taką przynajmniej zyskała opinię dzięki swojej nienagannej postawie. Ja jednak jestem wciąż przekonana, że zrobiła to z miłości, z miłości silniejszej niż jakiekolwiek inne uczucie, silniejszej niż litość, niż przywiązanie, niż współczucie dla umierającego ojca... Nic dziwnego, że ludzie czują lęk przed taką miłością.

VIII

Brakuje drugiej strony duetu: Carlosa. Dlaczego tak postąpił? Dlaczego nie zaczekał, aż ojciec umrze, żeby zawitać do tego domu? Zła wola czy brak zastanowienia? Gdyby to była postać z mojej powieści, optowałabym za bezmyślnością. Nigdy nie wychodzi mi nikczemnik do szpiku kości. Próbowałam z profesorem Arozameną w *Utajonej harmonii*, ale na koniec okazał się on jedynie egoistą i człowiekiem w istocie słabym. Moje szwarccharaktery to nie są ludzie z gruntu źli, nie czerpią przyjemności z zadawania komuś cierpienia; ich złe postępki można zawsze usprawiedliwić poczuciem godności albo zadawnioną urazą. W zasadzie jest to korzystne dla bohatera: Jagon ma powody, żeby postąpić tak, a nie inaczej. Dlatego moi „źli" nie osiągają skali niegodziwości potrzebnej, żeby przebiegł po plecach dreszcz wywołany obecnością Zła, które zresztą wcale nie musi być odstręczające: wszyscy romantyczni don Juani mają w sobie „szatański" urok. Może Carlos był właśnie kimś takim, a może był po prostu egoistą, który zabiega o to, co dla niego wygodne, miłe, i któremu nie przychodzi do głowy, że wyrządza komuś krzywdę. Może sam był niezdolny do głębszych uczuć i dlatego nie dawał wiary tym, które wzbudzał. Łatwo przychodziło mu zapomnieć i tego samego spodziewał się po innych. Z drugiej strony miał wiele doświadczeń, jeśli chodzi o kobiety, i wiedział, jak podejść Amelię, by uzyskać jej przebaczenie. Zastanawiam się, co mógł jej powiedzieć... Co się mówi kobiecie, którą się zostawiło w nocnej koszuli w paryskim hotelu?

Znam z życia mnóstwo historii o mężczyznach, którzy porzucają swoje żony i wracają po latach. W niektórych łatwo nawet dostrzec element niepotrzebnego okrucieństwa, obecny w zachowaniu Carlosa. Wuj mojej koleżanki wyjechał do Ameryki po wojnie domowej, podczas gdy jego brat, ojciec owej koleżanki, republikanin, siedział w więzieniu. Przedtem wuj sprzedał interes rodzinny i dom, w którym mieszkała cała rodzina brata, uzyskując podstępnie jego podpis pod odpowiednimi dokumentami. Czmychnął z gotówką, zostawiając wszystkich w skrajnej nędzy. Moja koleżanka pamięta, że przenieśli się do małej chatki w ubogiej dzielnicy i że każde dziecko mogło zabrać ze sobą najwyżej jedną zabawkę, bo na więcej nie było miejsca. Ojciec po wyjściu z więzienia poddawany był rozmaitym represjom i nie wolno mu było wrócić do zawodu nauczyciela. Do końca życia pracował jako kierowca autobusu. I oto jakieś trzydzieści kilka lat później przychodzi list: wuj prosi brata i jego żonę o wybaczenie, a ponieważ pragnie uściskać ich przed śmiercią, planuje przyjazd do Hiszpanii i pyta, czy go przyjmą. Ot tak, po prostu. Zbiera się cała rodzina, a moja koleżanka ma odpisać, powiadamiając, że ojciec nie żyje od wielu lat, że wujowi wybaczają, ale nie chcą się z nim spotykać, lepiej więc, żeby został, gdzie jest. Wuj przysyła kolejny list: ubolewa nad śmiercią swego drogiego brata, którego już nie uściska na tej ziemi – ton listów jest zdecydowanie melodramatyczny – oraz informuje, że związał się z inną kobietą i ma z nią dwie córki, które wybierają się do Hiszpanii z zamiarem poznania swoich hiszpańskich sióstr. Rodzina znów zbiera się na naradę, nie bardzo wiedząc, co z tym fantem począć, bo z jednej strony, czyż można winić dziewczęta za to, co zrobił ich ojciec, a z drugiej – po co rozdrapywać stare rany. Nie pamiętam, jak się skończyła cała historia, dość, że ów człowiek, który dał dowody takiej bezwzględności i niegodziwości, nie powiedział nic więcej ponad „przepraszam". A byli też tacy, którzy nawet na to się nie zdobyli. Mam bliskiego kolegę, któremu wiecznie marzą się podróże po morzach południowych. Otóż jego dziadek pewnego dnia powiedział żonie i dzieciom, że tylko skoczy na chwilę do sklepu za rogiem po paróweczki, i... zniknął na dwadzieścia lat. Po upływie tego czasu zjawił się w domu i oświadczył żonie – bo tylko ona już tam została: „Wróciłem". Na co kobieta, obdarzona widać przednim poczuciem humoru, zapytała go: „A paróweczki?". Mąż nie bawił się w wyjaśnienia – co, jak, dlaczego; jedynie potarł ręką czoło i rzucił mgliste: „To było coś w powietrzu". Nikt się nie zdziwił, że żona wpuściła go na powrót do domu, bo podobno był to uroczy człowiek, tak zresztą jak mój przyjaciel; widać urok osobisty i zamiłowanie do dalekich podróży zapisane są w genach. Wracając do Carlosa: miał on zatem dwa wyjścia – albo wrócić i nie tłumaczyć się, albo wyznać Amelii, że żałuje, że dręczą go wyrzuty sumienia, łaknie jej przychylności, jak również tego, by ojciec wybaczył mu wszystko przed śmiercią... Tak czy owak, efekt mógł być tylko jeden: Amelia wpuściła go, otwierając przed nim drzwi dosłownie i w przenośni.

Czy istnieją kobiety, które z natury łatwiej popadają w miłosną niewolę, tak jak inne prędzej ulegają alkoholizmowi? A może są mężczyźni zdolni doprowadzić do szaleństwa każdą kobietę? Przychylam się raczej do tej pierwszej teorii. W prawdziwym życiu nie spotkałam się z podobnym przypadkiem – prócz matki koleżanki z akademika. Pewna pisarka nadała kształt literacki koncepcji miłości jako instynktu, który niszczy kobietę i obraca ją w niewolnika, i z dużą dozą prawdopodobieństwa można przyjąć, że doświadczyła czegoś podobnego na własnej skórze: jest to Mercè Rodoreda. *Aloma*, jedna z jej najwcześniejszych powieści, rozpoczyna się zdaniem: „Miłość budzi we mnie odrazę", włożonym w usta bohaterki, która jest młodziutką dziewczyną. Odczucie to konkretyzuje się w historii kotki obserwowanej przez Alomę z okna pokoju. Kotka jest chora, wciąż napastowana przez koty i wyniszczona nieustannymi porodami, coraz brudniejsza, coraz bardziej obmierzła, wychudzona, pokryta wrzodami, liniejąca. Ledwie żyje, ale „nigdy nie protestuje". Kiedy ostatni raz widzimy kotkę, wymiotuje w konwulsjach, a „wspaniały samiec o grubym karku i lśniącej sierści" usiłuje ją pokryć. Wieczorem, w czasie gdy kotka rodzi, dozorca zabija ją uderzeniem drąga między uszy. Paralelizm sytuacji kotki i dziewczyny zyskuje na ostrości w scenie, kiedy ciężarna Aloma, w łóżku, w objęciach Roberta, wraca myślami do tamtych słów: „jaka wstrętna jest miłość", pragnąc, żeby nazajutrz ktoś znalazł ją martwą na ulicy.

Cały dorobek literacki Mercè Rodoredy dostarcza przekonujących dowodów, że taka koncepcja miłości – jako nieprzewalczonego instynktu, który poddaje kobiety-samice mężczyźnie-samcowi – odpowiada wizji świata ukazywanej przez pisarkę. Potwierdza to zresztą jej biografia.

Sądzę zatem, że łatwiej o kobiety popadające bez reszty w miłosną niewolę niż o mężczyzn, którym nie sposób się oprzeć. Co nie znaczy, że każda z nich nie może w pewnym momencie stracić głowy, na przekór sobie i swoim obyczajom. Emilia Pardo Bazán mówi, że pokusa rodziła się dla niej wraz ze świadomością bycia kochaną, że uczucie drugiego człowieka skłaniało ją do wzajemności. Nazywa to „miłością odblasku" i wyznaje, że brak odpowiedzi podcina jej skrzydła – w przeciwieństwie do kobiet, którym ich dodaje. Cytuję dosłownie: „Nigdy nie powstała we mnie myśl, bym mogła kochać, nie znajdując wzajemności"*.

Pasuje to do jej wizerunku kobiety silnej i niezależnej. W młodości przeżyła jednak zupełnie inną historię. Kiedy miała mniej więcej dwadzieścia dwa, dwadzieścia trzy lata i była już mężatką – wyszła za mąż w wieku szesnastu lat – zakochała się w Auguście Gonzalezie Linaresie, uczonym, profesorze uniwersytetu, do którego kierowała pełne namiętności i fatalne skądinąd wiersze, ofiarując mu miłość. Linares, wówczas kawaler, zakochany w innej kobiecie – o czym młoda Emilia nie wiedziała – nie odwzajemniał jej uczuć, natomiast pozwalał się wielbić platonicznie**.

Pisarka nigdy mu nie wybaczyła tej zniewagi. Kiedy, sławna i dojrzalsza wiekiem, miała okazję odwiedzić Stację Biologii Morskiej kierowaną przez Linaresa w Santander, podsumowała go krótko i chłodno w jednym ze swoich artykułów w *Por la España pintoresca*, rozpływając się z kolei nad domem Galdosa, gdzie spotkała się z wylewnym przyjęciem – bardzo w stylu don Benita. Tak więc nigdy nie można przewidzieć, jak ktoś się zachowa, póki znajdzie się w pewnych okolicznościach. A i wtedy nie zawsze.

Jeśli chodzi o Carlosa, naprawdę nie umiem powiedzieć, czy tym, co sprowadziło go do pokoju ojca Amelii, była niefrasobliwość, czy owa chęć dopieczenia drugiej

---

* Zob.: *Cartas a Galdós,* pod red. Carmen Bravo Villasante, Ediciones Turner, Madrid 1978.
** Historię owej nieodwzajemnionej miłości doñi Emilii opisuje Pilar Faus w artykule *Epistolario Emilia Pardo Bazán – Augusto Gonzáles Linares (1876–1878)* w: „Boletín de la Biblioteca Menéndez y Pelayo", LX, 1984.

osobie, która kazała mu zostawić Amelię w samej koszuli. Nie wiem, czy jego krok był podyktowany cynizmem, czy też potrzebą oszukania samego siebie, zanim oszuka się innych. Chodzi mi o to, że mało kto decyduje się na nikczemność, nie szukając usprawiedliwienia we własnym sumieniu. Na to trzeba siły charakteru, którą nie każdy może się wykazać. Z reguły jest tak, że człowiek popełnia świństwo albo dopuszcza się niegodziwości, mając zawsze w zanadrzu wytłumaczenie. Jeślibym wiedziała, w jakich okolicznościach Carlos zjawił się w domu Amelii, albo gdybym była tego świadkiem, myślę, że potrafiłabym go lepiej zrozumieć. Szczegóły są tylko pozornie nieistotne. Ich brak nadaje wizycie Carlosa niesamowity, diaboliczny wymiar, jakiego być może nie miała. Musiał wcześniej rozmawiać z Amelią albo z kimś z rodziny, musiał zadzwonić do drzwi i powiedzieć służącej, z kim chce się widzieć. Ktoś musiał do niego wyjść i spytać o powód odwiedzin. Na ten temat jednak wszyscy milczą. Zachowali jedynie w pamięci podniesiony głos ojca. Był już bardzo chory, ale jeszcze zdołał zebrać w sobie dość sił, by wyrzucić Carlosa. Jego krzyk dał się słyszeć w pokojach po drugiej stronie korytarza. Domownicy wyjrzeli zza drzwi i zobaczyli wychodzącego Carlosa. Jak wyglądał? Był zawsze nienagannie ubrany. A zachowanie – sprawiał wrażenie zadowolonego czy skrępowanego? Ciotka Mercedes nie pamięta. Szedł z podniesioną głową, ze wzrokiem wbitym w ziemię? Nie jest pewna, zawsze chodził wyprostowany, głowę nosił wysoko. A wyraz twarzy? Wydawał się przygnębiony, zamyślony, zirytowany? Może się uśmiechał?... Jak można być świadkiem podobnej sceny i nie zwrócić uwagi na wyraz twarzy bohatera!

Ani ciotka Malen, ani nikt inny nie potrafi odtworzyć żadnych szczegółów. W ich pamięci zatarło się wszystko prócz tego głosu – ochrypłego, ledwie słyszalnego, przerywanego atakami duszności – i słów dobiegających z pokoju chorego: – Wynoś się z tego domu! Wietrzysz śmierć niby sępy!

Carlos odchodzi, Amelia i jej ojciec zostają w pokoju sami. Ojciec opada na poduszki, wyczerpany wysiłkiem. Amelia poprawia kołdrę. Spoglądają na siebie. Zawsze się tak dobrze rozumieli, nie potrzebowali żadnych wyjaśnień. Teraz jednak jakby coś pękło. Ojciec bierze głębszy oddech i mówi:

– Wiesz, że przychodzi po twoje pieniądze?

Amelia przytakuje skinieniem głowy. Ojciec zamyka oczy:

– Oby noga jego więcej tu nie postała, póki żyję. Potem rób, co chcesz.

Amelia znów kiwa głową potakująco, ponieważ jednak ojciec nie otwiera oczu, dodaje głośno:

– Nie wróci, możesz być spokojny...

Ojciec żył jeszcze jakiś czas. Amelia opiekowała się nim z czułością i poświęceniem, nie odstępując go w dzień i w nocy. A po pogrzebie spakowała walizki i wyjechała z Carlosem do Madrytu.

IX

Za drugim razem zabawa trwała nieco dłużej: Amelia, nauczona poprzednim doświadczeniem i wiedząc, czego się może spodziewać, pozwoliła, żeby Carlos ją okradał i doprowadzał do ruiny w troszkę wolniejszym tempie. Zastanawiam się, na ile czuła się szczęśliwa, gdy byli razem. Niewątpliwie musiało jej być dobrze, obawiam się jednak, że ilekroć Carlos wychodził z domu, pytała samą siebie, czy go jeszcze zobaczy. Pewnie, że jak dobrze popatrzeć, to taka sytuacja może się przytrafić każdemu: w końcu zdarzają się nagłe śmierci, zdarzają i nagłe ucieczki. Dla Amelii prawdopodobieństwo, że nieoczekiwanie zostanie sama, było tylko trochę większe niż w przypadku reszty śmiertelników, ale z kolei silniejsze oparcie dawała jej wiara.

Jest to jeden z powodów mojego zainteresowania Amelią: w jaki sposób osoba, która kocha i wierzy w miłość na całe życie, radzi sobie w sytuacji, kiedy wie, że ten drugi człowiek może ją w każdej chwili zostawić. Wierzę w miłość, która trwa wiecznie, to znaczy w uczucie, które czas tylko pogłębia i czyni niezniszczalnym. Nie chodzi mi o stan pogodzenia się z klęską ani utrzymywania – dla wygody czy korzyści – związku, w którym nie ma już namiętności, czułości, wzajemnego zrozumienia. Mam na myśli uczucie zdolne przetrwać załamania, udręki i okresy oschłości – jak mówią mistycy: noc ciemną duszy, podczas której wydaje się, że wszystko zgasło, i pozostaje tylko pokusa zmiany i wyzwolenia. Żeby związek dwojga ludzi mógł wówczas ocaleć, musi ich oboje łączyć transcendentna koncepcja życia – nie znaczy religijna, ale taka, która przykłada wagę do wierności, woli wytrwania. W moim przypadku dostrzegam ją wyraźnie w powołaniu artystycznym. Nie przestajesz pisać czy malować, czy komponować tylko dlatego, że coś ci się nie udało, albo dlatego, że tworzenie przychodzi ci z trudem. Rezultat nie ma wiele wspólnego z siłą, która każe ci kontynuować dzieło i wkładać w nie to, co w tobie najbardziej autentyczne. I tak samo jest z miłością. Kłopot jednak w tym, że nie wystarczy, by jedna osoba tak to odczuwała; muszą obie.

Kiedy pierwszy raz zdałam sobie sprawę z tego, że *on* może zniknąć z mego życia na zawsze, postanowiłam porozmawiać z osobą, którą *on* bardzo szanuje. To typ biznesmena; w każdym razie *on* go za takiego uważa. Według tego człowieka robienie interesów polega na kupowaniu za dziesięć czegoś, co warte jest dwadzieścia pięć. I odnosi się to jednakowo do domu, samochodu, kobiety. Jeśli za cokolwiek trzeba zapłacić według autentycznej wartości, to klęska. Może taki właśnie jest sposób myślenia ludzi interesu; nie wiem. Żona owego znajomego przymyka oko na jego miłostki, a trzeba wiedzieć, że czasem uderza on do smarkuli w wieku jednej ze swoich córek; musi to uważać za niezły interes. Komuś tego pokroju zwierzyłam się ze swoich problemów, a zrobiłam to dlatego, że *on* bardzo go lubi i szanuje. Mówiłam, że trzeba ufać człowiekowi, z którym się dzieli życie, stworzyć wizję przyszłości i podtrzymywać zadzierzgnięte więzi. To był błąd. Znajomy ograniczył się tylko do stwierdzenia, że w końcu małżeństwo to nie polisa ubezpieczeniowa na życie... Jego poglądy na temat wierności nie wykraczają poza ten schemat. Niesmak budzi we mnie sposób, w jaki mówi o kobietach. Natomiast *on*, na którym najmniejszego wrażenia nie robi historia Amelii, liczy się z opinią tego człowieka: podziwia jego stanowczość, zwraca się do niego o radę – zapomniałam tego dołączyć, sporządzając listę różnic między nami.

Wracając do Amelii, zastanawiam się, czy przyjęła postawę: bawmy się, póki można – a po nas choćby potop. Coś podobnego miała na myśli ciotka Julia; w każdym razie tak to przedstawił Vargas Llosa. Zdecydowała się na małżeństwo świadoma, że ze względu na różnicę wieku nie ma ono wielkich szans trwałości: „Jeśli mi przysięgniesz, że wytrzymasz ze mną przez pięć lat, nie interesując się inną, tylko kochając wyłącznie mnie, to w porządku – oznajmiła. – Dla pięciu lat szczęścia popełnię to szaleństwo"*. W teorii wygląda to nieźle, w praktyce – zwykle gorzej. Z reguły nie dotrzymuje się umowy. Trzeba by posłuchać, co ciotka Julia ma do powiedzenia na temat Maria, kiedy ten zostawia ją osiem lat później. Wygląda na to, że nie była z nim szczęśliwa ani pięć lat, ani rok: bilans był zdecydowanie ujemny.

Takie decyzje podejmuje się zawsze w desperacji. Masz do wyboru dwa wyjścia, oba żałosne: albo być z kimś, wobec kogo żywisz poważne obawy, że cię rzuci, albo samemu zdecydować się na zerwanie. W rzeczywistości dokonujesz wyboru między dwiema formami udręki: z powodu ostatecznego rozstania lub z powodu obawy przed rozstaniem. Amerykanie, którzy mierzą wszystko, nawet to, co wydaje się niewymierne, przeprowadzili badania

---

* *Ciotka Julia i skryba*, tłum. Danuta Rycerz, Poznań 1997, s. 291.

nad intensywnością cierpienia i stwierdzili, że najdotkliwiej odczuwane jest porzucenie. Łatwiej zaakceptować i znieść ból wywołany czyjąś śmiercią. Być może dlatego, że porzucenie wiąże się dodatkowo z poczuciem winy i braku własnej wartości. Chociaż ludzie z reguły nie chcą się do tego przyznać, w gruncie rzeczy obarczenie siebie częściową winą za odejście drugiego człowieka jest nieuniknione: myślisz, że może w czymś pobłądziłeś albo że jesteś zerem niezdolnym utrzymać kogoś przy sobie. Śmierć jest natomiast nieszczęściem, za które nie ponosisz żadnej odpowiedzialności. Jedna z moich koleżanek powtarzała, że raczej wolałaby widzieć swojego męża martwego niż z inną kobietą. Wiedziała, że ją zdradza i że najprawdopodobniej odejdzie, znosiła jednak wszystko, póki jej definitywnie nie rzucił. Wówczas zapałała do niego nienawiścią i starała się dokuczyć mu, jak tylko umiała. I zerwała z nami wszystkimi, którzy utrzymywaliśmy z nim kontakt... Ja wolałabym, żeby *on* żył, chociaż nie umiem powiedzieć dlaczego. Może z powodu wiary, że póki się żyje, zawsze jest jakaś nadzieja, a może z obawy, że gdyby umarł, zaczęłabym *go* idealizować, pamiętałabym tylko miłe chwile, i byłoby jeszcze gorzej.

Jeśli chodzi o życie z człowiekiem, którego podejrzewasz o to, że w każdej chwili może cię zdradzić lub rzucić, to jak się dobrze temu przyjrzeć, niewiele się taki stan różni od lęku przed śmiercią: nie znasz dnia ani godziny. Już Pismo Święte mówi: „przyjdzie jak złodziej w nocy". Nikt prawie o tym nie myśli; mamy nadzieję, że dożyjemy późnej starości, że nie spotka nas nieszczęście – wypadek czy choroba – które kosztowało życie „kogoś innego" – sąsiada, kolegę, znajomego. Wiemy, że wszystko może się zdarzyć, ale na co dzień nie zastanawiamy się nad tym, to przekonanie nie odciska piętna na naszym życiu. Z miłością jest podobnie. Dopiero wtedy, kiedy okoliczności każą nam stanąć twarzą w twarz wobec porzucenia, dokonujemy wyboru między formami cierpienia. Amelia zdecydowała się na tę drugą. Wolała cierpieć z Carlosem, niż żyć bez niego; zresztą przemawiało za tym wpojone poczucie obowiązku i moralność katolicka: nie tylko robiła więc to, czego pragnęła, co dyktowała jej miłość czy tęsknota za nim, ale na dodatek spełniała obowiązek żony.

Wobec całego otoczenia odgrywała rolę szacownej małżonki walczącej o utrzymanie małżeństwa i nawrócenie zbłąkanego towarzysza życia. Cóż innego jej pozostawało, skoro była ogarnięta namiętnością? Co miała powiedzieć ojcu, krewnym, nawet przyjaciółkom? Chcę się z nim kochać, a poza tym nic mnie nie obchodzi... Nie wypadało przyznawać się do podobnych uczuć; nie było dobrze widziane, żeby zacna niewiasta znajdowała upodobanie w tym, co mąż robi z nią w łóżku. Byłam świadkiem rozmów kobiet w wieku mojej matki, widziałam, z jakimi minami robiły aluzje do tak zwanych sekretów alkowy: czegoś, z czym trzeba się pogodzić, co lubią mężczyźni i co według spowiednika nie jest grzechem, ponieważ opatrzone jest błogosławieństwem sakramentu. Takie panowało przekonanie. Amelia musiała ukrywać aspekt fizyczny swojej namiętności, żeby chronić się przed otoczeniem. Nie wiem jednak, jaką rolę pełniło życie seksualne w jej małżeństwie. Nie wydaje mi się, żeby namiętność cielesna mogła wrzeć tyle lat, a przede wszystkim znaleźć takie zwieńczenie. Przychylam się raczej do opinii ciotki Marcedes, że „szaleństwo" Amelii sięgało poza sprawność Carlosa jako kochanka. Tak naprawdę w wielkiej miłości spełnienie fizyczne nie zaspokaja pragnienia, które budzi w nas drugi człowiek. Chcielibyśmy posiąść go w pełni i na zawsze. Miró tak mówi w *Nuestro Padre San Daniel*:

„Zmysły, jakże nas napełnicie tęsknotą za nieskończonością!". Rozkosz zmysłów, przeżywana intensywnie, nie wyczerpuje się w samej sobie, lecz niesie pragnienie kontynuacji, trwania, krótko mówiąc: wieczności. Które to pragnienie nie domaga się już obecności drugiej osoby, tak jak mistycy nie potrzebowali obecności Boga, by go dalej kochać.

Co mnie najbardziej zastanawia w całej tej historii, to jej oderwanie od rzeczywistości, ukształtowanie wedle woli, we własnym umyśle. Miłość Amelii nie zależała od uczynków Carlosa; Amelia postanowiła kochać tego człowieka i zbawienie jego duszy uczyniła sensem swego życia. Czy postąpiłaby tak wobec każdego mężczyzny, za którego wyszłaby za mąż? Sądzę, że tak, ponieważ w przypadku Amelii najważniejsze są przekonania. Widocznie stało się jej udziałem to, co teologowie nazywają łaską sakramentalną. Z niej czerpała siły, aby znosić najpierw ból, a potem samotność. Nim dojdzie do małżeństwa, rodzi się miłość. Ona stanowi punkt wyjścia i przeznaczenie. I uświęca. W rezultacie można nie brać w rachubę tej drugiej osoby; nieważne, jak postąpi. Miłość-przeznaczenie sama sobie wystarcza. W tym miejscu wkracza Bóg i inny wymiar życia. Amelia musiała zbawić siebie i zbawić Carlosa, żeby złączyć się z nim po śmierci. Może to zakrawać na pięknoduchostwo – ale nie dla człowieka wierzącego. Pamiętam pogrzeb ojca jednej z moich najbliższych przyjaciółek – ateistki do szpiku kości. Opuszczaliśmy właśnie cmentarz, kiedy ktoś wyraził podziw dla spokoju i siły ducha matki. Na co ta odpowiedziała z bólem, ale i z uśmiechem: „To nie to, po prostu mam nadzieję spotkać się z nim na tamtym świecie, a już niewiele brakuje".

To, że Amelia miała nadzieję złączyć się z Carlosem po śmierci, nie znaczy, że nie cierpiała z powodu jego

85

każdorazowego odejścia i nie cieszyła się jego obecnością. Nie była ani mistyczką, ani osobą niespełna rozumu. Musiała boleć bardzo – i z powodu innych kobiet, i z powodu samotności: lata rozłąki i ta świadomość, że on jest z inną. Wyczekiwanie na jego powrót, ale przy tym zachowywanie godności.

Właśnie godność, poczucie godności, to drugi temat, który skłonił mnie do opisania historii Amelii. Adèle Hugo, poza tym, że postradała zmysły, stała się dla wszystkich obiektem litości i drwiny. Amelia natomiast, przeciwnie, nie tylko nie zeszła do roli nieszczęsnej porzuconej, której wszyscy współczują – patrzcie no tylko, nasza Amelitka, tak jej było blisko na wysokie arystokratyczne progi, a tu masz babo placek, i jak mogła mu uwierzyć, po tym, jak już raz... et cetera, et cetera – ale wzbudziła powszechny podziw z powodu swojej stałości, nienagannego prowadzenia, a także stylu, w jakim potrafiła zakończyć całą sprawę.

Kiedy mówię o godności, mam na myśli nie sens, jaki nadają temu pojęciu słowniki – „poczucie własnej wartości, honor, duma", ale ogólnie zdolność wzbudzania szacunku: żeby nikt cię nie głaskał protekcjonalnie po głowie – dosyć tego! Całe życie to samo, odkąd pamiętam, żeby tylko nie drwili ze mnie, chuda jak patyk, trzy ćwierci do śmierci, żadnej gracji. Wciąż jeszcze dźwięczy mi w uszach ton, jakim podsumowała mnie starsza siostra mojej koleżanki: „Toż ta mała jest ostrzyżona jak święty Antoni Padewski!". W tym momencie zdałam sobie sprawę, że miała sto procent racji, że te włosy, pracowicie zakręcane przez mamę szczypczykami, jako żywo przypominały loczki świętego. One szyły, haftowały czy tam robiły na drutach, wszystkie starsze ode mnie: niech ja skonam – zaśmiewały się – święty Antoni, to jej się udało! Odparłam, że mnie się tak podoba, a poza tym święty Antoni ma wygoloną tonsurę, a ja nie. Niemniej jak tylko wolno mi było czesać się, jak chcę, zaczęłam wiązać sobie koński ogon, tak ciasno, że mama mówiła: „Nie dasz rady oczu zamknąć!". Na co ja, żeby jej udowodnić, że nic podobnego, przymykałam powieki, ostrożnie, bo, prawdę powiedziawszy, napinając skronie, czułam, jak ciągną mnie włosy. Ale przynajmniej nie było żadnego świętego, który byłby uczesany w koński ogon.

Pamiętam też żarty, kiedy posyłano mnie do sklepu po drobne sprawunki. Stawałam przed ladą, musiałam ścierpieć, że wpychało się przede mnie kilka osób dorosłych, i kiedy przychodziła moja kolej, brałam głęboki oddech i wyrzucałam z siebie jednym tchem: poproszę pastę do zębów, igły gramofonowe, niebieski długopis, trzy metry cienkiego i mocnego sznura do bielizny, dwucentymetrowe gwoździe albo śrubokręt krzyżakowy numer cztery. Na pamięć i bez zająknięcia. Nieodmiennie kazano mi powtarzać wszystko od początku, pośród rozbawionych spojrzeń lub serdecznego śmiechu klientów i uwag typu: „Gada jak z książki" albo: „Niezły byłby z niej klecha". Całe lata śniła mi się ta scena w innym wariancie: wchodziłam do sklepu już jako osoba dorosła, dojrzała kobieta, w idealnie skrojonym kostiumie, okularach z masy perłowej, uczesana w poważny kok. Wszyscy milkli i spoglądali z szacunkiem, jak się patrzyło na biskupa albo przynajmniej na jedną z zakonnic, które prowadziły dom starców. Na ich widok także przerywano rozmowy, obsługiwano je i choćby prosiły o coś darmo, nigdy nie strojono sobie z nich żartów ani nie mówiono, że są pazerne – jak powtarzano mnichom, kiedy dopominali się o datki. Zakonnice były przez wszystkich szanowane, ponieważ opiekowały się samotnymi starymi ludźmi, a w końcu nikt nie mógł być pewien, czy na starość nie czeka go taki los. Tak więc wyobrażałam sobie siebie jako świecką zakonnicę: stoję w moim kostiumie jak spod igły, z włosami zebranymi na karku w kok, i proszę o pastę do zębów albo linkę do huśtawki, albo igły do gramofonu, na którym słucham starych nagrań Caruso, gdy tymczasem klienci cichną, przerywają rozmowy, powściągają docinki i komentarze, ekspedient obsługuje mnie pierwszą, ja zaś obdarzam wszystkich uśmiechem, niczym biskup, kiedy podaje pierścień do pocałowania. To, czego w istocie pragnęłam z całej duszy, to być Jego Ekscelencją. I to nie tyle ze względu na pozycję społeczną, ile na sposób bycia, nacechowany godnością i budzący powszechny szacunek. Dlatego lubiłam całować biskupi pierścień. Nikt w mojej rodzinie tego nie robił – wszyscy byli raczej nastawieni antyklerykalnie – ale też nikt mi nie powiedział złego słowa. Jednej z moich koleżanek rodzice nie pozwalali całować pierścienia, bo uważali, że można w ten sposób złapać jakieś chorobsko. My, dziewczynki, wiedziałyśmy wszystkie, że to zawracanie głowy; po pierwsze od dotykania rzeczy świętych, dajmy na to wody święconej, nie można się niczym zarazić, choćby wszyscy wkładali rękę do kropielnicy, a po drugie, Jego Ekscelencja, zanim podał pierścień do pocałowania, przecierał go rękawem sutanny, gestem eleganckim i – powtarzam – pełnym godności. Nawet jeśli zaplątał się tam jakiś zarazek, ten gest oznaczał dla niego koniec. Ksiądz biskup nie pozwalał, żeby dzieciaki cmokały go w rękę jak popadnie. Za każdym razem powtarzał niezmienny rytuał: unosił ramię, zwieszając lekko dłoń, tak aby dobrze się prezentował ametyst, odczekiwał, aż dana osoba ucałuje pierścień, po czym cofał dłoń i rękawem drugiej ręki przecierał nieznacznie kamień. Tym sposobem go czyścił, ale wydawało się, że chodzi nie tyle o wytarcie, ile oferowanie pierścienia każdej osobie na nowo. Namaszczenie w jego ruchach staje się jeszcze wyrazistsze, gdy porównać ten ceremoniał z zachowaniem ministrantów, którzy na odpuście dawali do pocałowania figurę świętego*. Wierny klękał przed ołtarzem, a ministrant najpierw podsuwał mu tacę na datki, co brzmiało jak „najpierw zapłać" i robiło bardzo niemiłe wrażenie. Potem, gdy się już złożyło ofiarę, drugi ministrant przecierał szmatką figurkę świętego, jakby wycierał ją z kurzu, podsuwał pod usta klęczącemu, który ledwo zdążał ją pocałować, i recytował pospiesznie, machając nią znak krzyża tuż przed twarzą delikwenta:

Chrystus niech żyje
zawsze i ninie,
On naszym królem. Amen.
Niech święty patron (np. święta Małgorzata)
darzy cię łaską,
strzeże od złego
przez jedynego
Boga i Maryję
zawsze Dziewicę. Amen.

Amen wypadał w momencie, w którym święty znajdował się na wysokości ust klęczącego, ale ministrant tak pędził, że nie sposób było wycelować, i każdy cmokał,

---

* Chodzi o figurkę świętego, do którego się pielgrzymowało. Figurka była niewielka, wysokości około dwudziestu pięciu do trzydziestu centymetrów, na ogół z drewna lub ceramiki, choć widywało się też ubrane w szaty z materiału. Z tyłu zaopatrzona była w rodzaj uchwytu, jak kufel do piwa, co pozwalało ministrantowi operować nią swobodnie i szybko. Mimo to podczas bardziej popularnych odpustów tworzyły się długie kolejki, wychodzące poza kaplicę. Hiszpańskie wyrażenie „przyjść i pocałować świętego", oznaczające łatwe osiągnięcie celu, nawiązuje prawdopodobnie do tego zwyczaju.

kiedy mógł. Wyglądało to bardzo śmiesznie, bo nie było mowy o żadnej zgodności ruchów. Widziałeś, jak pątnik klęczy przed tobą, wyciąga szyję, składa wargi, i starałeś się samemu zgrać nieco lepiej. Ale trudna rada – ministrant był zawsze szybszy, jakby miał za punkt honoru nie pozwolić ci zbliżyć się drugi raz do figurki. I znowu szast-prast ściereczką – na co i po co? I bez żadnego poczucia godności. Co innego Jego Ekscelencja: on nawet dzieci, którymi wszyscy pomiatali, traktował z rewerencją, wyciągając do nich dłoń z taką samą elegancką powściągliwością jak do dorosłych.

Dlatego pilnie się przypatruję Amelii w chwilach, kiedy Carlos ją zostawia. Okoliczności sprzyjały temu, by sobie na niej używać albo – w najlepszym wypadku – by jej współczuć: najpierw zostawiona w paryskim hotelu w nocnej koszuli, potem – zrujnowana i z dzieciakiem. A mimo wszystko sprawiła, że patrzono na nią z szacunkiem.

Sądzę, że podziw budziło nie tyle jej poważne podejście do życia, ile upór, z jakim trwała przy wyborze, który – z racjonalnego punktu widzenia – był oparty na błędzie. Ujmowane w kategoriach społeczno-towarzyskich, jej małżeństwo okazało się klęską, totalną klęską. Ona jednak zrobiła wszystko, aby nadać mu sens, a Kościół dostarczył jej argumentów. Nierozerwalność więzi małżeńskiej, tajemnica wiary stawały się jakby namacalne w tej jasnowłosej dziewczynie, spacerującej popołudniami pod rękę z ojcem, a później w młodej kobiecie, urodziwej i samotnej, do której nikt nie mógł się zbliżyć, ponieważ należała do innego mężczyzny. Ów mężczyzna opuścił ją co prawda, ale miał do niej prawa, zawsze, póki ich śmierć nie rozłączy. Wszystko, na co mógł sobie pozwolić Enrique, kiedy się spotykali przypadkiem, to pocałować ją w rękę – jak czyniono wobec innych mężatek – a komentarze rodziny lub przyjaciół na temat jego sympatii do Amelii kwitować słowami: „Spóźniłem się".

Jemu to również wydaje się nie z tej epoki. Niesłusznie. W dziewiętnastowiecznych powieściach realistycznych co krok mamy cudzołóstwo, małżeński trójkąt. Taka jest historia wiecznej miłości: jak w *Księżnej de Clèves*, z XVII wieku, albo w *Don Juanie Tenorio*, z okresu romantyzmu. Istnieje sposób pojmowania własnego losu, który nie ma nic wspólnego z powieścią realistyczną czy naturalistyczną. Amelia przeżywała miłość tak, jak inne kobiety przeżywają powołanie religijne, dając siebie całą. Niczym dziewczyna, która postanawia wstąpić do zakonu klauzurowego: idzie, przywdziewa habit i zostaje w klasztorze aż do śmierci. Takie uczucie jest wystarczająco silne, by wypełnić egzystencję. Amelia nie łaknęła wyrazów niczyjego współczucia ani sympatii, a już na pewno nie rozrywki: była zajęta czymś, co miało jej wypełnić życie i czego nie da się zmierzyć zegarem realnego czasu. Tylko w ten sposób można czekać bez popadania w rozpacz: wierząc, że po tym życiu będzie nowe i że zbliża się czas połączenia z drugą osobą w świecie, w którym nie ma lęku ani bólu... Nawiedzona? Niewykluczone: jako osoba przekonana, że jest w posiadaniu prawdy. Dla mnie jednak była raczej idealistką, kimś, kto nie zgadza się na rzeczywistość, nie akceptuje jej praw – miłości, zapomnienia, zapomnienia, miłości... Nie: przeżywać wielką miłość i nie chcieć zapomnieć, kochać aż do śmierci, i dalej. Wiara mogła jej nieść pociechę, ale niewątpliwie służyła też za tarczę, maskę ukrywającą miłość, która dla społeczeństwa, a pewno i dla niej samej, wiązała się ze skazą i poczuciem winy. Jej miłość była namiętnością, czymś, czego przyzwoita kobieta nie powinna odczuwać.

X

Teraz namiętność nie pachnie już skandalem, nie wydaje się nieprzyzwoita, choćby dlatego, że zanikło poczucie przyzwoitości w życiu publicznym. Wciąż jednak nie wzbudza specjalnej estymy. Na człowieka zakochanego patrzymy z politowaniem, drwiną bądź nieufnością. Ludziom podoba się miłość w powieściach i filmach, ale nie w realnym życiu. Z reguły nie rozumiemy miłości. Spoglądamy na innych z własnej perspektywy i w głowie nam się nie mieści, że ktoś szaleje za tym akurat mężczyzną czy tamtą kobietą, która dla nas jest prymitywna, nijaka – po prostu szara mysz – albo dziwimy się, że w ogóle można z kimś takim wytrzymać. I ciekawe też, że wszystkich bardzo niepokoją pary, w których zaznaczają się wyraźne różnice. Panuje chyba powszechne przekonanie, że tylko ludzie pod wieloma względami podobni mogą tworzyć jakieś rozsądne – czytaj: trwałe – związki. Mnie natomiast interesują tylko takie, w których nie ma równości albo które nie są aprobowane przez społeczeństwo. Zastanawiam się, w jakiej mierze różnice między dwojgiem ludzi mogą zostać zniwelowane dzięki uczuciom bądź jak warunkują miłość. Kiedy mam do czynienia z parą młodych ludzi, zakochanych, pięknych, pochodzących z tej samej warstwy społecznej, o podobnych aspiracjach, gustach i przekonaniach, bardzo mi miło, gratuluję, ale tego typu związek nie budzi we mnie najmniejszego zainteresowania.

Jeśli chodzi o Amelię – gdyby jej małżeństwo było udane, nie zwróciłabym na nią uwagi. Taka historia rzeczywiście miałaby posmak staroświecczyzny: dziewczynie brakowało szlacheckiego tytułu, jemu – pieniędzy. Związek był posunięciem korzystnym dla obu stron: małżeństwo z rozsądku. Tyle że ona się zakochała i diabli wzięli cały rozsądek. Co do Carlosa, sytuacja ciekawi mnie tylko w tej mierze, w jakiej wychodzi poza schemat epoki, w myśl którego doświadczony mężczyzna pragnie wybrać na towarzyszkę życia niewiastę świętą i z odpowiednim posagiem.

Tak naprawdę to tylko w naszym stuleciu ludzie pobierają się z miłości. Kiedyś czymś naturalnym i godnym polecenia było wybrać na chłodno osobę odpowiednią, a rozumiano pod tym pojęciem zarówno korzystną pozycję społeczną i ekonomiczną, jak i nienaganne prowadzenie oraz cechy zapowiadające dobrego współmałżonka. W *Los pazos de Ulloa* Emilii Pardo Bazán znajdujemy doskonały przykład takiej postawy. Don Pedrowi Moscoso podoba się kuzynka, Rita, czuje do niej fizyczny pociąg, ale gdy ma wybierać żonę, decyduje się na Nuchę, młodszą siostrę Rity, chuderlawą i zezowatą, która jednak potrafiła odrzucić jego awanse, kiedy, przekonany, że to Rita, usiłował ją pocałować. Krótko mówiąc, żeni się z tą, która wydaje mu się przyzwoitsza, chociaż go nie pociąga. Nie można powiedzieć, żeby powieść sugerowała wyraźną krytykę takiej postawy; przeciwnie, odnosimy wrażenie, że autorka pochwala wybór, jakiego dokonuje jej bohater, i podziela opinię don Juliana, księdza, na temat małżeństwa: „Natura tak świętej instytucji nie ma nic wspólnego z nieskromnymi afektami i uniesieniami, namiętnym i gardłowym gruchaniem turkaweczki". Doña Emilia miała skądinąd dość śmiałe poglądy w kwestiach moralności. Na przykład broniła równości mężczyzn i kobiet w tej dziedzinie, zarzucając hipokryzję społeczeństwu, które pochwala doświadczenie erotyczne mężczyzny, potępiając je u kobiety. Jednak na temat małżeństwa wypowiada się w duchu daleko bardziej tradycyjnym*. W *Doñi Milagros* bohater otwarcie wskazuje na sprzeczność między tym, czego pragnie, a tym, czym naprawdę należy się kierować przy wyborze małżonki. Don Benicio, zakochany w zmysłowej i namiętnej doñi Milagros, tak określa swoje uczucia wobec surowej małżonki, nawiasem mówiąc niesłychanie zazdrosnej:

„Ilda – oddajmy jej sprawiedliwość – nigdy w naszym małżeńskim życiu nie okazała się gwałtowna i namiętna, jaką pragnąłem ją widzieć podczas szczęśliwych dni w Monforte, o brzasku naszej miłości; potrafiła zachować, posuniętą do niepojętych granic i zrazu nader dla mnie bolesną, *czystą surowość i skromność prawowitej małżonki chrześcijańskiej, ową powściągliwość i pozorny chłód, które, o ile gniewają szalonego kochanka, roztropnego małżonka winny zadowalać głęboko***".

Z wypowiedzi można wywnioskować, że mężczyzna roztropny nie powinien szukać na żonę kobiety namiętnej, przy czym nie jest powiedziane jasno: czy dla zacho-

---

* Zob. na ten temat: Marina Mayoral, „*De Insolación a Dulce Dueño": notas sobre el erotismo en la obra de Emilia Pardo Bazán*, w: *Eros Literario*, Universidad Complutense, Madrid 1989.
** Kursywa nie pochodzi od doñi Emilii, lecz od narratora *Życie oddać i duszę*. Cytat zaczerpnięty jest z: *Obras completas*, Ed. Aguilar, t. II, s. 36.

wania godności sakramentu, czy dla zapobieżenia ewentualnej niewierności. Istniała też inna teoria, również reprezentowana w dziełach literackich, która starała się połączyć w małżonce to, co miłe, z tym, co użyteczne. Na przykład w średniowiecznej *Libro de Buen Amor* Arcipreste de Hita zaleca, aby kobieta była szalona w łóżku, a trzeźwa w domu. Opinia taka nie zyskała jednak wielu popleczników. W kręgach dziewiętnastowiecznego mieszczaństwa przyjęte było mieć kochankę – ku zaspokojeniu własnych pragnień – oraz żonę – by chowała dzieci w duchu szacunku dla rodziny i nauk świętej matki Kościoła.

Jeszcze wśród mężczyzn mojej generacji w młodości funkcjonował podobny mechanizm: podobały im się Szwedki, Francuzki, o wiele bardziej wyzwolone, ale na żonę szukali Hiszpanki, w miarę możności takiej, co to odmawia różaniec i jest codziennie na mszy. Mój kolega, powieściopisarz i wydawca Carlos Casares, należał do nielicznych, którzy wyłamali się z tego schematu, może dlatego, że w Galicii, na wsi, w kwestiach moralności przyjmowano postawę o wiele bardziej otwartą niż gdzie indziej w Hiszpanii. Poznał Cristinę w pociągu. Czytał właśnie książkę, kiedy jakaś dziewczyna weszła do przedziału i usiadła naprzeciwko. Podniósł wzrok i pomyślał: Jak Boga kocham – Szwedka! Co do tego nie było wątpliwości: wysoka, piękna, złotowłosa, o błękitnych oczach i jasnej cerze – typowa Szwedka. Natychmiast zamknął książkę i zaczął do dziewczyny uderzać. Kiedy postanowili się pobrać, obojgu wróżono jak najgorszą przyszłość. Jemu, bo przecież wiadomo, że Szwedki to panienki lekkich obyczajów, które zmieniają mężczyzn jak rękawiczki. Jej – matka przypominała z całkowitą powagą sprawy honoru w teatrze Calderona i Carmen Mériméego: jak łatwo Hiszpanowi przychodzi zamordować żonę. Od tego czasu minęło dwadzieścia lat, a oni wciąż są razem. Poza tym niemal wszyscyśmy się rozwiedli.

Możliwe, że Carlos, nie Casares, tylko bohater naszej historii, wybrał Amelię zgodnie z tradycyjnym wzorcem: porządna dziewczyna, niewinna i bogata, przy której mógłby prowadzić dawny styl życia – zabawiać się z innymi kobietami i puszczać pieniądze – podczas gdy ona będzie się modliła. W wielu stadłach hiszpańskich wciąż silna jest wiara w osobliwą wersję dogmatu o świętych obcowaniu: zasługi świętej małżonki mogą zbawić męża birbanta i niedowiarka. Carlos pochodził z arystokratycznej i konserwatywnej rodziny; okoliczność ta musiała na niego wpłynąć, kiedy doszło do wyboru narzeczonej i formalnych zaręczyn.

W czasie narzeczeństwa nudził się chyba śmiertelnie. Amelia z pewnością nie była w jego typie – jeśli sądzić po kobietach, z którymi się potem wiązał. Wszystkie należały do raczej pospolitych, z gruba ciosanych i nawet niespecjalnie ładnych. On sam był zawsze tą stroną urodziwszą – subtelny, elegancki... I wolał brunetki – sam blondyn o jasnych oczach, jak Amelia.

Gdyby nie to szczególne zachowanie podczas podróży poślubnej, można by go uznać za typowego przedstawiciela danej grupy społecznej: mężczyźni ci wybierali żonę „z rozsądku", nie rezygnując z – aprobowanych przez otoczenie – romansów z kobietami, które ich pociągały, a w niczym nie przypominały żony. Zwykle pochodziły z niższej klasy społecznej albo zupełnie odmiennego kręgu, często były to aktoreczki.

Dopiero kobiety z mojego pokolenia zburzyły tę zmyślną konstrukcję. Wówczas zaczęły się rozwody, dzielenie się dziećmi – słowem rozpacz w kratkę, twierdzą ci, którzy przeżyli i zobaczyli skutki katastrofy. To my złamałyśmy reguły gry opartej na cierpliwości lub obojętności żony wobec tego, co wyczynia mąż poza domem. Chociaż trzeba przyznać, że nieraz to mężczyzna nie chciał dłużej utrzymywać fasady małżeństwa opartego tylko na korzystnym układzie. Znam podobny przypadek ze swojego otoczenia. Kolega ze studiów, podobnie jak Carlos przystojny, pochodzący z dobrej rodziny, ożenił się z dziewczyną, która zdaniem jego kumpli przypominała włoską Madonnę. Wszystko to byli chłopcy o sporej wiedzy książkowej, ale niedoświadczeni życiowo: dobrze ułożeni, kulturalni, praktykujący katolicy – i tak onieśmieleni! Prawie żaden nie odważył się wybrać dziewczyny, która naprawdę mu się podobała. Ów pojął za żonę cud dziewicę, włoską Madonnę, która notabene mnie wydawała się jakaś bez ikry – sztywna i mało kontaktowa. Mieli kilkoro dzieci. Niewiele czasu minęło, a małżonek zaczął fruwać z kwiatka na kwiatek, nawet się specjalnie z tym nie kryjąc. Niemniej Madonna udawała, że o niczym nie wie, i godnie pełniła rolę przykładnej żony i matki, jak przystało na dobrze sytuowaną señorę z dzielnicy Salamanca. Nie wiem, może w domu robiła mu sceny, wobec ludzi byli jednak obrazem małżeństwa doskonałego. Tak minęło jakieś piętnaście lat, aż on zachorował ciężko i znalazł się na granicy życia i śmierci. Żona przez kilka miesięcy pielęgnowała go i pilnowała najrozmaitszych spraw – od wizyt kolegów po pracę zawodową. Wydawało się, że bez niej naprawdę wszystko by diabli wzięli. On wrócił do zdrowia niemal cudem, wobec czego przyjaciele – czy raczej przyjaciółki – nabrali przekonania, że po tym doświadczeniu wejdzie na dobrą drogę i przestanie się lumpować. W pewnym sensie tak właśnie zrobił: rozwiódł się i związał z dziewczyną, która była przeciwieństwem żony – flejtuch, niedomyta i źle ubrana. Skądinąd zresztą bardzo troskliwa i chyba dość sympatyczna.

Nie wiem, czy przyjaciółki Carlosa były flejtuchowate; zdaniem ciotki Mercedes na pewno „prostackie". Widocznie to go pociągało. Z Amelią nie zagrało to jedno, co mogło zagrać. Nie mamy tu ani modelu świętej niewiasty, matki jego dzieci, ani przeciwieństw, które się przyciągają – hulaka (don Juan) zakochuje się w kobiecie niewinnej i czystej (doña Inés). Zachowanie Carlosa pod jednym tylko względem budzi moje zainteresowanie: mianowicie dlaczego rzucił ją w tak prowokujący sposób, dlaczego nie odczekał trochę i nie zrobił zwyklejszego użytku z majątku Amelii – bo w końcu o nic więcej mu nie chodziło.

Podałam już przekonujące, moim zdaniem, wyjaśnienie tej kwestii, jakkolwiek nie odrzucam innych, na przykład związanych z istnieniem kochanki w stylu markizy de Merteuil z *Niebezpiecznych związków*, która gotowa jest się oddać, żądając jednak w zamian aktu wyrafinowanego okrucieństwa. Teoretycznie mogło tak być, uważam to jednak za mało prawdopodobne. Kochanki Carlosa nie odznaczały się taką przewrotnością, a ich oczekiwania były daleko prymitywniejsze.

W akcie pierwszego porzucenia Amelii dostrzegam natomiast, wbrew opinii ciotki Mercedes, element zemsty, niechęci nie tyle wobec Amelii, ile wobec własnej rodziny. Ciotka sama przyznaje, że wpojono mu złe nawyki, a nie zarabiał wystarczająco dużo, by utrzymać poziom życia, do którego był przyzwyczajony. Nie mógł również domagać się swojej części spadku, ponieważ roztrwonili go jego rodzice. Musiał zatem czuć się niejako zmuszony zaprzedać siebie samego i własną wolność, by nadal korzystać z przywilejów, jakie daje pieniądz. À propos, taka postawa przywodzi mi na myśl historię, którą kiedyś opowiadała mi babcia. Otóż pewnego złotego młodzieńca, lekkoducha i hulakę, zresztą z zacnej rodziny, ojciec postanowił sprowadzić na dobrą drogę za pomocą małżeństwa. Obciął mu wszelkie dochody i wyswatał go z córką przyjaciół, ludzi znanych i dobrze sytuowanych. Chłopak przystał na taki układ, zaliczył narzeczeństwo, oficjalnie poprosił o rękę dziewczyny, wymieniono stosowne podarki, po czym oboje stanęli na ślubnym kobiercu. A kiedy ksiądz spytał pana młodego, czy chce pojąć taką a taką za żonę, ten zawołał: „Niech odpowie mój ojciec!". Nie obyło się bez omdleń, doszło do skandalu, w końcu dało się jakoś wszystko załagodzić. Powtórnie odbył się ślub, w czasie którego on odpowiedział, że tak, i sprawa skończyła się zgodnie z życzeniem ojca. Można się zastanawiać, dlaczego zgotował dziewczynie takie upokorzenie, skoro i tak zamierzał podporządkować się woli rodziny. Prawdopodobnie chciał się odegrać na ojcu, wystawić mu rachunek za to, do czego czuł się zmuszany. Ot, męskie porachunki; a dziewczyna guzik go obchodziła. Nie myślał o tym, że wyrządza jej krzywdę, ponieważ jej nie kochał, ponieważ silniejsze było pragnienie zemsty, a przede wszystkim – ponieważ nie żywił szacunku dla kobiety jako istoty społecznej: wiedział, że może ją upokarzać bezkarnie. Sądzę, że to samo odnosi się do Carlosa.

Jeśli chodzi o Amelię, owszem, zadziałała u niej zasada przyciągania przeciwieństw. W swoim związku z Carlosem wydaje mi się osobą czystą, niewinną, ale nie zimną, powściągliwą w ten przykry sposób, do jakiego robi aluzję bohater Emilii Pardo Bazán. W okresie narzeczeństwa musiała doznawać uczucia wspólnego wówczas wielu dziewczętom – nie wiem, czy dzisiaj też. Mam na myśli satysfakcję, jaką daje coś, co nazwalibyśmy okiełznaniem rozhukanego rumaka, sprowadzeniem go do roli potulnej owieczki, tak że pozwala się pokornie prowadzić za uzdę. Mówiło się, że pragnieniem mężczyzny jest być pierwszym w życiu kobiety, a kobiety – ostatnią w życiu mężczyzny. Carlos nie miał opinii bezwstydnego uwodziciela, kiedy starał się o Amelię, ale niewątpliwie uważany był za mężczyznę „doświadczonego". Nie tyle w sensie doświadczenia, jakiego można się było spodziewać po każdym, kto miał więcej niż dwadzieścia pięć lat, ile pewnej szczególnej famy mężczyzny, który przez dłuższy czas mieszkał za granicą i podoba się kobietom. Enrique cieszył się opinią inteligentnego i pracowitego – słowem zdolnego chłopaka. Nie był brzydki, ale nie urodą się głównie odznaczał – raczej innymi zaletami, dzięki którym można go było nazwać dobrą partią. Carlos był przede wszystkim przystojny, przystojny i z dobrej rodziny. Dobrą partią czyniło go pochodzenie, ale najważniejsze, co można było o nim powiedzieć, to to, że podobał się kobietom, wszystkim, niezależnie od klasy społecznej i wieku. Był uwodzicielem i umiał swoje talenty pielęgnować, nikt bowiem nie może podbijać całego świata, jeśli się o to nie stara. Carlos owiany był legendą donżuana jeszcze przed ich ślubem i dla Amelii stanowiła ona część jego osobowości – w rezultacie nader pociągającą. Musiały jej schlebiać komentarze koleżanek, no i sama świadomość, że zawojowała kogoś, do kogo wzdychały wszystkie. W końcu to normalne. Niezwykłe jest dopiero jej zachowanie po tym, jak zostawił ją drugi raz.

Sprawą, której dotąd nie poruszyłam – a która wydaje mi się nie bez znaczenia – jest chęć poznania motywów czyjegoś działania. Jeśliby mnie ktoś porzucił w ten sposób, nie zaznałabym spokoju, póki nie dowiedziałabym się dlaczego. Wśród przypadków nagłego odejścia nie zrelacjonowałam jednego, z którym zetknęłam się bezpośrednio. Otóż koleżanka ze studiów miała wychodzić za mąż, aż tu na dwa tygodnie przed ślubem idzie odwiedzić narzeczonego w college'u, a tam pokój pusty, chłopaka ani śladu. W szafie znalazła tylko sweter. Jego rodzina nie miała pojęcia, co się z nim dzieje, a on się więcej nie pokazał. Dziewczyna musiała poddać się leczeniu psychiatrycznemu, a kiedy już wszyscy myśleli, że jej przeszło, rzuciła się na mur na ulicy i omal nie przeniosła na tamten świat z powodu urazu głowy. Pozostała jej ogromna blizna, a w duszy nieufność, której nie pozbyła się do dziś. Niemniej nie próbowała odszukać chłopaka. Niedawno się z nią widziałam i pytałam, czy nie ma o nim wiadomości. Odpowiedziała, że nie i nie chce nic wiedzieć. Dla niej istotny był tylko fakt, że ją porzucił i uciekł, zostawiając na lodzie; powody były jej obojętne. Dla mnie są ważne. Jeśli znam powody jakiegoś zachowania, łatwiej mi je zaakceptować, choćbym się z nim nie zgadzała ani nie miała zamiaru go naśladować. Może jednak chęć zrozumienia, poznania nie jest niczym innym jak swego rodzaju pragnieniem posiadania i dlatego mówimy „poznał" w sensie poznania cielesnego? W Amelii, obok namiętności do Carlosa i woli ujrzenia go zbawionym, drzemać musiała także chęć zdobycia klucza do jego zachowań – co było sposobem zawładnięcia nim, kiedy odchodził.

A zresztą może wcale nie, może tylko przenoszę na nią własne strapienia. Chcę wiedzieć, dlaczego miłość się kończy. Nie zawsze jest ulotna i krucha. Może trwać całe życie, albo i dłużej. Uczucia zmieniają się, uspokajają, uniesienie i zachwyt przechodzi w czułość i serdeczność, ale nie ma powodu, by zanikało przywiązanie do drugiej osoby, jeśli było czymś więcej niż jedynie skłonnością fizyczną. Gertrudis de Avellaneda tak pisała do Ignacia de Cepedy, którego wciąż kochała, zaliczywszy dwóch mężów i kilku kochanków: „Wiem, że z głową posrebrzoną siwizną i twarzą pofałdowaną zmarszczkami dalej byłbyś

101

dla mego serca, ostudzonego wiekiem, pierwszym spośród mężczyzn, obiektem mego uwielbienia i czułości"*. Jeśli miłość gaśnie, to widać jest jakiś powód, i właśnie chciałabym wiedzieć jaki. Amelia chyba też. Ona zresztą umiała zrobić z tej wiedzy użytek. Krótki czas dzielony z Carlosem wystarczył jej, by go poznać dogłębnie. Zdawała sobie sprawę, że był słaby i łatwo ulegał wpływom, i dlatego mogła na koniec postąpić tak, jak postąpiła. Inny mężczyzna by się na to nie zgodził. Osoby, które dowiadywały się o jej zamysłach, znów nabierały przekonania, że jest szalona. Ale nic z tych rzeczy. Amelia wiedziała, do czego był zdolny, znała go dobrze. Dlatego zachowała ostrożność, kiedy spadek po niezamężnej ciotce na nowo uczynił ją milionerką. A już jej ostatnia decyzja podjęta w związku z Carlosem na pewno nie była aktem szaleństwa. Przeciwnie: stanowiła uzasadnienie całego ludzkiego życia.

* Listy Tuli do Ignacia de Cepedy można znaleźć w wyborze Eleny Cateny, zatytułowanym: *Poesías y epistolario de amor y de amistad*, Castalia, Madrid 1989.

XI

Oprócz Amelii interesuje mnie również Enrique i Carmen, nie tyle ze względu na nich samych, ile na ich związek z Amelią. Nie wiem, czy to, co odczuwał Enrique, można nazwać miłością. W zasadzie chyba tak – platoniczną miłością, trwającą całe życie. Ale w takim razie jakiego rodzaju uczucia łączyły go z żoną? Co czuł do Carmen?

Podobno zagadywany o Amelię, Enrique odpowiadał: „Spóźniłem się". Odzwierciedla to dobrze jego sposób myślenia, był bowiem typem zdobywcy, dla którego nie istnieją żadne przeszkody. Pochodził ze skromnej rodziny i własną pracą dorobił się majątku, osiągnął sukces, zyskał sławę, pozycję społeczną, wreszcie poślubił kobietę będącą przedmiotem zazdrości otoczenia. Zdobył wszystko, co chciał, prócz Amelii.

Zawsze mu się podobała, chyba od lat chłopięcych, ale kiedy przyszedł moment, że mógł się do niej zbliżyć, kiedy już skończył studia i zaczął się wybijać, Amelia zaręczyła się z Carlosem z zamiarem poślubienia go. Mimo wszystko Enrique podjął próbę, jednak Amelia zachowywała się już jak żona Carlosa, którą miała stać się niebawem, toteż Enrique awansował do roli „przyjaciela, który chętnie byłby kimś innym, ale ponieważ jest dżentelmenem, nie naciska". W rezultacie cała rodzina, nie wyłączając Carmen, doskonale zdawała sobie sprawę, że Amelia mu się podoba. Carmen nazywała Amelię jego „platoniczną miłością" i wydawała się nie przywiązywać do całej sprawy większej wagi, choć może tylko pragnęła jej tej wagi odjąć. Ją, najbardziej pożądaną partię wśród wszystkich dziewcząt i oficjalną piękność, drażnił nieco fakt, że mężowi zawróciła w głowie, choćby nie wiem jak platonicznie, inna kobieta.

Carmen, zdaniem ciotki Mercedes, która była z nią w dość zażyłych stosunkach, należała do najbardziej kapryśnych i zarozumiałych istot, jakie święta ziemia nosiła: rozpieszczana od dziecka, nie miała łatwego charakteru. Nie można jednak zbytnio polegać na tej opinii, ciotka wyrażała bowiem krytycyzm wobec każdej obdarzonej silną osobowością kobiety, która nie poddawała się bez szemrania patriarchalnej tyranii mężczyzny, czy to ojca, czy męża. Uważała Carmen za osobę bystrą i pogodną, z którą miło pogawędzić, ale przyzwyczajoną do stawiania na swoim i nieustępliwą. W pojęciu ciotki taka kobieta nie jest zdolna uszczęśliwić mężczyzny, a zatem Enrique miał za swoje, bo wybrał najlepszą partię, ale za to całe życie był skazany na znoszenie humorów i kaprysów Carmen. Nic zatem dziwnego, że tęsknił za łagodnością i spokojem Amelii, która poza tym odznaczała się wyrozumiałością i bez wątpienia dałaby mu więcej szczęścia; czy w końcu nie przychodził do niej co dzień po południu na herbatkę? Jedyne, czego mu było potrzeba, to odrobina spokoju, a nie wieczne bieganie za czymś, od Annasza do Kajfasza, może byśmy pojechali tu, a potem może tam, a jak nie chcesz, to jadę sama – jak było z Carmen przez całe życie. Ciotka nie twierdziła, że Enrique ożenił się z Carmen dla pieniędzy, bo kiedy się pobierali, wszystko wskazywało na to, że będzie bogaty i sławny, więc nie potrzebował jej majątku, żeby się ustawić w życiu, choć zaszkodzić mu nie zaszkodził. Z niego też była partia całkiem całkiem, i żadna rodzina nie robiłaby mu wstrętów, chociaż jego ojciec był zwykłym urzędnikiem. Ale proszę, jak przyszło co do czego, to za żonę wziął sobie nie skromną dziewczynę, nawet nie jedną z tylu panien z dobrych rodzin, tylko jak już – to najbogatszą. W samej rzeczy ciotka trafiła w dziesiątkę. Ale wybrał Carmen nie tylko dlatego, że była najbogatsza, ale także dlatego, że robiła wokół siebie najwięcej szumu, była najładniejsza, najbardziej rozkapryszona, może także najinteligentniejsza. Jej historia nie budzi we mnie zbyt żywego zainteresowania, bo da się wyjaśnić racjonalnie. Carmen była ukoronowaniem awansu towarzyskiego Enrique: kobietą, której wielu miało mu zazdrościć, na którą wszyscy zwracali uwagę, ilekroć pojawiali się razem, słowem – żoną człowieka sukcesu. I Enrique nie pozwolił, by mu się wymknęła z rąk. Tym razem się nie spóźnił i dziewczynę zgarnął.

Powiedziałam „zgarnął", a nie „podbił jej serce". Mogłam również powiedzieć „zdobył". Z początku Carmen nie zaprzątała sobie zanadto głowy tym konkurentem. Była absolutnie świadoma majątku swojej rodziny oraz własnych zalet, odrzuciła wielu zalotników, a Enrique nie był typem uwodziciela, jak Carlos; nie był wówczas nikim więcej niż „obiecującym młodym człowiekiem", który nie zniechęcił się wzgardą upragnionej Carmen i nie zaniechał starań. Taka zdobywana z mozołem miłość budzi we mnie zawsze pewną nieufność, choć wśród przypadków miłosnych jest to coś najzwyklejszego. O tym, co może zdziałać wytrwałość, świadczy casus Jacqueline i Picassa. Kiedy się poznali, on nie czuł się w ogóle zaangażowany i nawet kpił sobie z jej niemego uwielbienia; a na koniec chodził za nią na pasku. Teraz coraz częściej spotykamy

105

kobiety, które zaginają parol na mężczyznę, by wreszcie go zdobyć, kiedyś jednak było to typowo męskie zachowanie; kobieta zajmowała postawę obojętną, gdy tymczasem mężczyzna parł do przodu w przekonaniu, że wytrwałością weźmie się każdą twierdzę. Bardzo często była to obojętność udawana – czego już ani w ząb nie mogłam nigdy pojąć: po kiego licha, skoro chłopak ci się podoba, zachowujesz się tak, jakby się nie podobał. Była to gra wymagająca nie lada zręczności; zawsze wypadałam w niej fatalnie – nie umiem kamuflować ani sympatii, ani antypatii. Ale mniejsza z tym. Co gorsza, niejednokrotnie ta obojętność i wzgarda były autentyczne. Pamiętam koleżankę z college'u, w której chłopak zadurzył się na zabawie. W kółko do niej wydzwaniał, a nawet przychodził do college'u, żeby się z nią zobaczyć. Ona powtarzała: „No nie, znowu tu przyniosło tego palanta!". Nieraz nie chciało jej się nawet podejść do telefonu czy zejść do portierni. Kiedyś czekał biedak parę godzin, znosząc ciekawskie spojrzenia wchodzących i wychodzących rozbawionych studentek, które chciały zobaczyć, jak wygląda kochaś Pepy. Potem szły do niej do pokoju i komentowały: „No nie, gość jest w porządku". Niektóre się litowały: „Mówię ci, zejdź do niego i powiedz mu coś, no, chociaż żeby sobie poszedł". Pepa wzruszała tylko ramionami i robiła znudzoną minę: „Boże, jaki on namolny! Jeśli zejdę, to już się nie odczepi i będzie przyłaził co dzień. Spokojna głowa, pójdzie sobie, jak się zmęczy". Ale nie odprawiała go w sposób zdecydowany. Kiedy przychodził weekend, a nie miała nic innego do roboty, to się z nim umawiała. Albo kiedy zapraszał ją na coś ekstra. Poza tym go unikała. I oto po latach spotkałam ich, jak byli już małżeństwem, i to chyba udanym. Jak można być szczęśliwym z człowiekiem, który przez całe lata wydawał ci się palantem? Niby niemożliwe, a jednak częstsze, niżby można przypuszczać. Niektóre kobiety trzymają w rezerwie absztyfikanta, który może niezupełnie jest w ich typie, i nie chcą go definitywnie odprawiać. Jeśli pojawi się inny, który im bardziej przypadnie do gustu, tamtemu mówią bye bye, a jeśli nie – w końcu się zgadzają, zrezygnowane, gotowe znosić palanta czy nudziarza, czy pokrakę, byle tylko nie zostać same. Jak mówi ciotka Malen: „lepszy rydz niż nic". Zastanawiam się, jaką postawę przyjmują w takiej sytuacji mężczyźni. Potrzeba uznania każe im chyba traktować to jako zwycięską kampanię – pokonanie oporu – nie zaś to, czym ten akt jest w istocie: rezygnację przez kobietę z oczekiwań, których ten mężczyzna nie może zaspokoić.

Carmen nie należała do tych, które się poddają. Enrique musiał jej się od początku podobać, ale przyjęła styl, jakiego się można było spodziewać po dziewczynie mającej duże wzięcie: pozwoliła, by Enrique się do niej zalecał, jak się wówczas mówiło. Nie była kobietą, która znosiłaby towarzystwo kogoś, kto nie jest jej miły, a zatem już sam fakt, że go nie odprawiła z kwitkiem, zwiastował pomyślny finał. Enrique miał miłą powierzchowność, poza tym już zaczynał odnosić sukcesy zawodowe. Carmen musiało schlebiać jego zainteresowanie, ale uważała, że należy się cenić i nie ustępować po pierwszym natarciu; takie były reguły gry miłosnej. Poza tym za Enrique przemawiało jeszcze coś, z czym nieczęsto Carmen stykała się w swoim otoczeniu: zdolności. Wyróżniały go one spośród reszty epuzerów i najwidoczniej przechyliły szalę na jego korzyść; być może podbił też swoje akcje pewną niezależnością wobec kaprysów dziewczyny. W oczach Carmen, zarozumiałej pannicy, ten, kto potrafił się jej sprzeciwić, zyskiwał dodatkowy atut. Enrique zaś grał w otwarte karty, przyjmując kolejno rolę poważnego pretendenta do ręki, potem formalnego narzeczonego, a na koniec małżonka z bożej łaski – jak mówiła ciotka Mercedes. O ile wiadomo, nigdy nie miał żadnych *liaisons*. Bynajmniej nie poświęcił jednak kariery, żeby być blisko Carmen, ani przed ślubem, ani potem. Dwukrotnie, już w narzeczeństwie, wyjechał na dłuższy czas za granicę. Mógł jechać już jako małżonek, ale nie zrobił tego, gdyż tak było korzystniej ze względu na pracę. Carmen czekała wiernie, choć nie poddała się przyjętym wówczas rygorom. Chodziła na bale i jak zawsze spotykała się z przyjaciółkami. Po ślubie wciąż była tą najładniejszą i najbogatszą dziewczyną – on stawał się mężczyzną znanym i poważanym. Gdyby nie ich relacja z Amelią, w ogóle nie zwróciłabym na nich uwagi.

Sposób, w jaki Carmen znosiła względy okazywane Amelii przez swego męża, budzi jednak moje zainteresowanie i szacunek. Nie wiem, czybym wytrzymała na jej miejscu. Nie wyobrażam sobie życia z człowiekiem, który kocha inną kobietę, choćby tylko platonicznie. Może to zakrawać na pychę, lecz w istocie jest kwestią braku pewności. Dziwi mnie, jeśli kobiety starają się za wszelką cenę zatrzymać mężczyznę, który zakochał się w innej albo się zmęczył partnerką i w poszukiwaniu nowych wrażeń nawiązuje przelotne romanse. Jedyne, do czego jestem wtedy zdolna, to otworzyć mu szerzej drzwi – niech odchodzi. Doskonale potrafię wejść w jego skórę i wyobrazić sobie, jak mu gardłem wychodzi, kiedy kobieta usiłuje być dla niego miła i słodka, a on nie myśli o niczym innym, tylko o tym, żeby przy najbliższej okazji dać drapaka i odejść z inną albo innymi. Stają mi wówczas przed oczyma wszystkie moje mankamenty urody i ułomności charakteru: wydaję się sobie chuda i długa, koścista, smutna jak pogrzeb w deszczu, napiętnowana wyostrzonym zmysłem krytycznym, którego na moje nieszczęście nawet miłość nie jest zdolna stępić, i cały czas myślę, że on też tak mnie postrzega, gdy tymczasem chciałby mieć przed oczyma inne kobiety: apetyczne, pulchniutkie, krew z mlekiem, wesołe, pieszczoszki, wpatrzone w niego jak w obraz... Język mi kołowacieje, robię się sztywna, niezdolna do jakiegokolwiek gestu czułości, a tym bardziej kokieterii. Boże, chroń! I ten ściskający za gardło strach przed śmiesznością: trzeba zachować choć odrobinę godności, myślisz sobie; znowu wyjeżdżasz z tą swoją godnością... No i przekonanie, że wszystko daremne, że kiedy ktoś się tobą zmęczy, niewiele jest do zrobienia, a im bardziej będziesz się starać go zatrzymać, tym szybciej wyfrunie. Są tacy ludzie, rozumiem to, muszą latać z kwiatka na kwiatek. Ale w takim razie powinno się ich zaopatrywać w odpowiednią etykietkę, jak produkty przeznaczone do szybkiego spożycia, ponieważ ja, na przykład, nie nudzę się osobami, które kocham, ja należę do tych o przedłużonej trwałości, UHT, trwałości praktycznie nieograniczonej – pod warunkiem przechowywania w odpowiednich warunkach – i w bliskich związkach jestem zawsze stroną przegraną. Na domiar złego nie posługuję się owym: a mówiłeś, a przyrzekałeś, a obiecałeś... Życie jest tak krótkie, tyle w nim nieszczęść i strapień... Jak można zabraniać komuś, żeby był szczęśliwy, kochając inną kobietę, która może mu dać więcej radości i która na ogół, patrzcie, państwo, co za traf, przypadkiem jest młodsza... W rezultacie równocześnie życzysz mu jak najgorzej, niech mu zwiędnie i niech zdechnie za to, co ci zrobił, i czujesz, jak wewnątrz wzbiera coś w tobie i masz ochotę bluznąć: kretyn, gdzie mu będzie lepiej, kto wytrzyma te wszystkie jego depresje, „jestem pod kreską", wszystko przepadło, łobuz, zobaczy, ile jest wart, ofiara losu... Myślisz o tym i myślisz, i sama nie wiesz, co począć.

Kiedy byłam młodsza, oprócz tego, że zastanawiałam się, co począć, śpiewałam gauczowskie ballady, na przykład o więźniu numer dziewięć – „był z niego chwat nie lada" – który wraca i znajduje żonę w ramionach innego, swego przyjaciela. Zabija oboje, przyjaciela i niewierną żonę, potem zostaje osądzony, a kiedy wyrok ma być wykonany, mówi do księdza:

Ojcze, ja nie żałuję,
  śmierci nie lękam się.
Wiem, że w niebie Najwyższy
  osądzi mnie.
Tam, w zaświatach, tych dwoje
  odnaleźć chcę.

Lubiłam to śpiewać i wyobrażać sobie, jak ksiądz blednie. Z upodobaniem komentowałam też, tak en passant, jakby w ogóle nie robiło to na mnie wrażenia, rozmaite morderstwa z miłości, odnotowywane przez gazety. W rezultacie niektórzy naprawdę nabierali przekonania, że jak przyjdzie co do czego, to jemu wszystko obetnę, a jej wyłupię oczy. W końcu jednak przestawało mnie to bawić; czułam znużenie – po cóż się wysilać; jeśli coś w tym było warte grzechu, to widzieć siebie taką, jaką on mnie widział. Ale skoro już tak na mnie nie patrzy, po co, u licha, miałby zostawać?

Z Carmen było zupełnie inaczej; dlatego interesuje mnie jej wątek. Nie przykładała wielkiej wagi do faktu, że Enrique jest zadurzony w innej kobiecie, a w każdym razie niczego nie dawała po sobie poznać. W rozmowach na ten temat przyjmowała ton ironii czy rozbawienia, jak-

110

by chodziło o niewinny feblik męża, coś, co można wybaczyć mężczyźnie, który poza tym jest pełen zalet. Albo jakby w głębi duszy nie wierzyła w to uczucie; sądzę że tak właśnie było.

Carmen uważała siebie za nieporównanie ładniejszą i atrakcyjniejszą od Amelii. Była tym, co się określa mianem prawdziwej samicy, a Amelia – cóż: ładniutka, drobniutka, blondyneczka, takie pięć minut. Oczywiście nie chodziło tylko o wzrost czy pełne kształty, ale o sposób, w jaki się idzie przez życie. Amelia uchodziła zawsze za skromną i rozważną i nie robiła żadnego użytku ani z tej burzy jasnych włosów, ani z niebieskich, naprawdę ładnych oczu. Jeśli ktoś chce mówić o Amelii, zaraz przychodzą mu do głowy same zdrobnienia. Carmen natomiast należała do kobiet, które rozgrzewają mężczyzn, specjalnie się o to nie starając: ledwo się pojawią, faceci przełykają ślinę i poprawiają krawat – albo spodnie, zależnie od środowiska. Przypuszczam, że dobrze jej szło w łóżku z Enrique, a zatem czuła swą władzę nad nim i pewna była uczuć, jakie w nim wzbudza. Nie widziała w Amelii rywalki; może raczej ideał żony, jakiej życzyłby sobie Enrique, ale do jakiego ona sama wcale nie aspirowała. Tak to chyba wyglądało: pogardzała Amelią jako kobietą, nie uważała jej za atrakcyjną, nie tylko w porównaniu z nią samą – dziewczyną absolutnie wyjątkową – ale nawet z kochankami Carlosa, zupełnie przeciętnymi. Dla Carmen Amelia była kobietą, która nie potrafiła zatrzymać przy sobie mężczyzny nawet na miesiąc poślubny, co z punktu ją dyskwalifikowało jako obiekt pożądania. Która nie była niczym więcej niż uległą i poddaną żoną, jaka się marzy wszystkim mężczyznom, a już na pewno Enrique, zmęczonemu ciągłą walką z tym żywiołem o imieniu Carmen. Toteż sama Carmen czuła się bezpieczna.

111

Jeśli chodzi o Enrique, przypuszczam, że nie ukrywał swojej sympatii dla Amelii, bo mógł w ten sposób utrzeć nieco nosa Carmen i poskromić jej władcze zapędy. Tak jakby przyznawał: „Jesteś cudowna, rzeczywiście można stracić dla ciebie głowę i w ogóle masz wszystko, czego dusza zapragnie, mnie jednak podoba się ta blondyneczka, którą zostawił mąż – i próżna rada".

Rzeczywiście próżna, Enrique bowiem nie kłamał. Podobała mu się Amelia. Reakcją Carmen mogła być tylko pogarda, lekceważenie, ostentacyjna pewność, że postawiony wobec wyboru – i bez tej podniety, jaką daje obecność rywala albo smak owocu zakazanego – Enrique zostałby z nią. Taką przyjęła postawę i chyba trafiła w sedno.

Moim zdaniem świadczy to o zadufaniu, ale i pragmatyzmie Carmen: nie mogła stać się jej rzeczywistą rywalką kobieta o tak surowej moralności. A jeśli ten cymbał wielbił ją platonicznie, nie zaniedbując poza tym swoich małżeńskich obowiązków, to wszystkiego najlepszego, krzyżyk na drogę. Ciotka Malen zgadza się ze mną w tej kwestii. Są takie kobiety – obdarzone zmysłem praktycznym zdolnym rozbroić wszelkie sentymenty. Pamiętam pewnego profesora; cieszył się ogromną estymą studentek, ponieważ wszystkie publikacje dedykował zmarłej małżonce. Żeniąc się z nią, wiedział, że nie będzie żyła długo, i dochowywał jej wierności *post mortem*; poruszało to serca wszystkich studentów, głównie dziewcząt. Kiedy jedna z młodych wykładowczyń zaczęła się z nim spotykać, wszyscy byli zgorszeni: czyżby zapomniał o swojej pierwszej, cudownej miłości? Nic z tych rzeczy. Owa kobieta była jedynie powiernicą jego bólów, przyjaciółką: rozumiała go w jego samotności i razem z nim kładła kwiaty na grobie zmarłej żony... gdzie w końcu złożyli także ślubną wiązankę. Od pierwszej chwili, kiedy ich zobaczyłam razem, spodziewałam się takiego rozwiązania, i to nie dlatego, żeby dziewczyna była specjalnie ładna. Po prostu znałam jej zmysł praktyczny i siłę charakteru. I uważałam, że taka osoba zdolna jest stawić czoło sennej marze.

Rywalka z tamtego świata jest przeciwnikiem trudnym do pokonania, bo nie ma żadnej nadziei, że na jej wizerunku pojawi się jakakolwiek rysa: nie musi zmagać się z pracą zawodową, prowadzić domu i pilnować dzieci, depilować nóg, farbować włosów ani zrzucać zbędnych kilogramów. I się nie starzeje. Tylko pozazdrościć. Wiele studentek, które podkochiwało się w profesorze, poczuło się osobiście dotkniętych z powodu tego małżeństwa. Jego towarzyszka wydała im się szczwana i fałszywa, a wszystkie te strategiczne spacery na cmentarz obliczone na jeden efekt: doprowadzić faceta do ołtarza, a potem: nieboszczka niech odpoczywa w spokoju, a żywi – porzućcie smutki; ciekawe, czy dalej będą tak wiernie nawiedzać cmentarz. Jako żywo, bardzo im było nie po drodze, wkrótce zresztą wyjechali do innego miasta i tak skończyły się żałobne wizyty. Ja, wówczas osiemnastolatka, uważałam, że nowa żona musi być nie lada osobowością, bo niełatwo naruszyć tego typu więź. I wciąż tak myślę, choć od tego czasu minęło pół wieku: martwa rywalka jest nie do pokonania. Tkwi gdzieś, przyczajona, w pamięci tej drugiej osoby i pojawia się w najmniej spodziewanym momencie. Mężczyzna wciąż nosi w sobie idealny obraz, a nie będziesz przecież mówić źle o zmarłej. Nie powiesz, na przykład: „Dziwne, na zdjęciach wcale nie wydaje się taka ładna", albo: „Jej przyjaciółki twierdzą, że była raczej głupiutka"... Nie wypada, a poza tym na nic by się nie zdało; w związku ze zmarłymi zachowujemy w pamięci tylko rzeczy dobre. Nigdy nie mogłam zrozumieć koleżanki, która wolała widzieć swojego męża raczej martwego niż z inną. Mnie wydaje się, że lepiej, żeby *on* odszedł. Nie do końca rozumiem, skąd ta postawa, ale bynajmniej nie jest ona podyktowana względami altruistycznymi. Po części pewnie dlatego, że tylko śmierć uważam za nieodwracalną. A może obawiam się, że będę *go* idealizować. Nie miałam już siły włóczyć się z *nim* po Londynie czy Nowym Jorku, marząc o Tunezji czy Karaibach, albo znosić jego minę męczennika – wiedz, że robię to tylko dla ciebie, inaczej końmi byś mnie tu nie zaciągnęła – gdy przyjeżdżał ze mną nad morze. Gdyby umarł, nie pamiętałabym o tym wszystkim; miałabym przed oczyma tylko miłe chwile przeżyte razem, które już się nie powtórzą, wszystkie jego dobre cechy; a wady, doprowadzające mnie do szału – ach, to drobiazg. Za to póki żyje, przeciwnie, będę myślała: jest taki jak inni, jedyne, czego mu potrzeba, to kobieta, która byłaby w niego wpatrzona, śmiała się z jego dowcipów, przyklaskiwała pomysłom, podziwiała go, w niczym się nie sprzeciwiała, no i miała dwadzieścia lat... Niewykluczone, że szukam tylko pociechy, tak czy owak, dopóki żyje, trzymać się będę przekonania, że nie była to niepowetowana strata, tylko po prostu kolejna pomyłka. Wiem to z doświadczenia.

Wracając do Carmen. Dlatego właśnie ciekawi mnie, jak radziła sobie z platonicznym uczuciem Enrique do Amelii. Podziwiam jej spokój i protekcjonalny, pozbawiony agresji ton, przyjmowany w komentarzach na ten temat. Gdybym tak mogła wiedzieć, czy była to pewność siebie, poczucie wyższości wobec rywalki, czy też zwykły pragmatyzm, wynikający z przeświadczenia, że najważniejsze, jak mąż zachowuje się w domu, nie wyłączając łóżka, a co sobie myśli, to jego sprawa. I czy Enrique – w przypadku gdyby Amelia doprowadziła do unieważnienia swego małżeństwa – posunąłby się dalej, poza stwierdzenie, że „się spóźnił".

Zastanawiam się, czy znałabym odpowiedzi na te pytania, gdyby wszyscy byli moimi bohaterami? Chyba nie. Nawet wykreowanych przez siebie postaci nie znam do końca: widzę, jak postępują, słyszę, co mówią, ale ich prawdziwe motywy nigdy nie są dla mnie jasne. Może po prostu nie da się dotrzeć do tych najgłębszych pokładów ludzkiej psychiki. Człowiek sam nie wie czasem, dlaczego robi tak, a nie inaczej i o co naprawdę mu chodzi. I to właśnie wydaje mi się najciekawsze w życiu i w powieści: jeśli się dobrze przyjrzeć, zawsze jest jeszcze drugie dno.

XII

Boję się, że opowiadając historię Amelii, nie zachowuję obiektywizmu. Chociaż często wspominałam o jej przekonaniach religijnych, przyjęłam założenie, że przy Carlosie trzymało ją bardzo silne przywiązanie typu uczuciowego o wyraźnym podłożu seksualnym i że religia była tylko zasłoną dymną dla tej namiętności, chroniącą przed otoczeniem. W obliczu jej dalszych poczynań czuję się jednak w obowiązku dopuścić inne możliwości. Amelia była naprawdę osobą wierzącą, nie tylko praktykującą, i możliwe, że najgłębszym motywem jej działania była chęć zbawienia męża. Uważam, że to bardzo prawdopodobne, jeśli położymy akcent na miłości, a nie na wierze. Widziany z tej perspektywy, *Don Juan Tenorio* Zorrilli jest także historią czyjegoś zbawienia, ale zbawienia dzięki miłości. Doña Inés oczekuje don Juana „zaledwie krok od mogiły" nie dlatego, że jest chrześcijanką, tylko dlatego, że go kocha. Miłość i wiara przenikają się do tego stopnia w koncepcji postaci, że nie sposób ich rozdzielić, zarówno jeśli chodzi o donę Inés, jak i Amelię. Jestem jednak zdania, że w obu przypadkach wiara staje się narzędziem miłości, jest jej podporządkowana.

W powieści Emilii Pardo Bazán *Una cristiana* bohaterka, Carmiña Aldao, ze względów rodzinnych decyduje się

116

wyjść za mąż za człowieka, którego nie kocha i który napawa ją fizycznym wstrętem. Dzięki łasce sakramentu zaczyna jednak czuć głęboką miłość do swego męża, chorego na trąd. (Gwoli sprawiedliwości przyznaję, że dla naświetlenia różnych aspektów historii Amelii często odwołuję się do dziewiętnastowiecznej powieści realistycznej, ale to wcale nie znaczy, że *on* ma rację, nazywając tę historię staroświecką. Porównuję po to, żeby uwidocznić różnice. Tak mi się przynajmniej wydaje!). Notabene uważam, że powieść ukazuje ten temat w sposób mało przekonujący, a intryguje mnie jedynie podszyty grzechem urok, jaki ta zrazu zbrzydzona, potem zakochana niewiasta wywiera na młodszym od siebie siostrzeńcu. Ale to całkiem inna para kaloszy. Teraz chodzi mi o to, że przekonania religijne mogą wpływać na postępowanie danej osoby w sposób niezrozumiały dla tych, którzy ich nie podzielają, i że być może nie nadałam uczuciom religijnym Amelii należnego wymiaru. Po prostu nie trafia do mnie budująca wymowa historii: oto święta małżonka chce zbawić grzesznika od potępienia. Tak samo zresztą jest w przypadku powieści Pardo Bazán: interpretuję postawę bohaterki jako casus psychologiczny raczej niż teologiczny. Źródłem osobliwej ewolucji uczuć jest potrzeba usprawiedliwienia przed samą sobą postępku w zasadzie mało chwalebnego. Carmiña wychodzi bowiem za mąż, by oddalić się od hańby, za jaką uważa romans ojca z młodą służącą. Nie mogąc go namówić do zmiany tej gorszącej sytuacji, sama wychodzi z gry, decydując się na małżeństwo bez miłości i zaangażowania. W tamtej epoce rzadko udawało się kobiecie wyzwolić spod kontroli ojcowskiej poprzez podjęcie pracy; w *Tristanie* Galdosa widzimy trudności, z jakimi musi się zmierzyć bohaterka walcząca o uczciwą niezależność. Mimo wszystko jednak układ małżeński z rozsądku, jaki

117

pokazuje *Una cristiana*, już wtedy był rozwiązaniem przestarzałym. W samej powieści padają na ten temat krytyczne słowa z ust jednego z bohaterów – autorka często stosowała ten zabieg, gdy pragnęła dać wyraz własnym, bardziej nowoczesnym przekonaniom. Moim zdaniem dalsze postępowanie Carmiñi Aldao motywowane jest nie tyle łaską sakramentalną, ile podświadomą chęcią wytłumaczenia się w oczach ludzi i przed samą sobą z tego, czego żadną miarą nie można nazwać bezinteresownością w małżeństwie. Dlatego w sposób niemal heroiczny, nie lękając się zarażenia, opiekuje się ona chorym na trąd małżonkiem i wmawia sobie żal po jego śmierci, która zresztą uczyni ją bogatą młodą wdówką, jak Pepitę Jiménez u Valery. Nie twierdzę, że Carmiña Aldao oszukuje siebie bądź kłamie, lecz że kuszona miłością siostrzeńca i udręczona opieką nad mężem, do którego czuje wstręt, odnajduje w wierze, w swoich przekonaniach religijnych, siłę pozwalającą odwrócić kota ogonem i pokochać mężczyznę trędowatego, który zdrowy budził w niej odrazę.

Osobiście nie wierzę w łaskę sakramentalną – której działanie zakładała Pardo Bazán – lecz nie jestem pewna, czy mam prawo interpretować tekst w świetle przekonań własnych, nie zaś autorki. Dlatego ilekroć przychodzi mi mówić na temat powieści, zawsze przedstawiam dwie interpretacje: opartą na wierze w cud oraz na analizie złożonego zjawiska psychologicznego – każdy niech wybierze bardziej dla siebie przekonującą. Przypadek Amelii jest jednak dość skomplikowany, kiedy bowiem staram się uwypuklić aspekt chrześcijański jej postępowania – cierpliwość, zdolność przebaczenia, pragnienie wybawienia grzesznika – posuwam się do drugiej skrajności i zaczynam ją traktować jako fanatyczkę, która nie żyła normalnym życiem, tylko czekała, aż będzie jej dane pochwycić zbłąkaną owcę i przyprowadzić na powrót do stada. Nic bardziej fałszywego. Obraz Amelii w starości, jaki zachowałam, nie jest obrazem dewotki.

Może znać w tym moje skrzywienie, nie potrafię jednak widzieć w dziejach Amelii czegoś innego niż historii miłości; przeżywanej przez osobę wierzącą, owszem, ale dla której głównym impulsem działania była miłość. Amelia za wszelką cenę starała się zapewnić zbawienie Carlosowi, ponieważ z jej punktu widzenia był to największy dar, jaki mogła mu ofiarować: ni mniej, ni więcej tylko życie wieczne i wieczną szczęśliwość. Lecz nie sądźmy, że była w swoich decyzjach całkowicie bezinteresowna; w miłości dostrzec można zawsze aspekt egoistyczny. Dawało jej to najlepszą gwarancję, że przynajmniej na tamtym świecie będzie obok niego: nie mogła dopuścić, żeby poszedł sobie gdzieś do piekła, rozdzielając się z nią na całą wieczność. A najbardziej zaskakujące jest to, że działała w sposób niejako naturalny, instynktowny, nie obnosząc się ze swoją pobożnością i ascetyzmem, który tak często czyni twardymi serca ludzi wpatrzonych tylko w życie przyszłe.

Wszyscy, którzy się z nią zetknęli, zapewniają, że była kobietą czarującą, łagodną, miłą w obejściu, życzliwą wobec całego świata i że umiała cieszyć się życiem. W żadnym wypadku nie pasuje to do wizerunku fanatyczki religijnej. W jesieni życia znów powodziło jej się bardzo dobrze, miała duże mieszkanie, ogromny taras z widokiem na morze, gdzie siadywała popołudniami przy herbacie i wybornych ciasteczkach. Carlos spędził wiele lat w Anglii i podejrzewam, że to od niego przejęła ów zwyczaj, a także pewne wyrafinowanie, z jakim jej herbatę serwowano: filiżanki z cieniutkiej porcelany, srebrne łyżeczki, haftowane serwetki z delikatnego batystu. Dbała też bardzo o siebie: zawsze gustownie ubrana, ładnie

119

ostrzyżona jasna blondynka – taki był pewno jej naturalny kolor. Z pewnością się farbowała, a może tylko maskowała lekko siwiznę, bo niemożliwe, żeby zachowała ten kolor po siedemdziesiątce. Nie wyglądała na dewotkę, ale i nie na kogoś, kto przeżył wielką namiętność. Kiedy ją poznałam, nie sprawiła na mnie absolutnie wrażenia osoby zdolnej do namiętności, raczej spokojnej i zrównoważonej. W stu procentach – zapewnia ciotka Mercedes. Sądzę jednak, że wówczas było to coś głębszego: z latami, a przede wszystkim wraz z tym ostatnim gestem wobec Carlosa, musiała wreszcie osiągnąć spokój wewnętrzny.

Nie ja jedna skłonna jestem widzieć w dziejach życia Amelii przede wszystkim historię miłosną. Ciotka Mercedes, która niełatwo dawała wiarę sentymentalnym fantazjom, za to przywiązywała wielką wagę do religii, nigdy nie interpretowała tych wszystkich korowodów, jakie miała Amelia z Carlosem, jako prób sprowadzenia go na dobrą drogę. Choć niechętnie rozmawiała na ten temat, bo szanowała Amelię – a namiętność uważała za coś, co nie przystoi osobom poważnym – przypuszczała, tak jak ja, że było to uwikłanie o podłożu erotycznym. Wspominałam już, jakimi słowami określała uczucia Amelii: „szalała za nim". A to dlatego, że Carlos, choć łajdak do kwadratu, był najbardziej eleganckim, przystojnym i uroczym mężczyzną, jakiego można było sobie wyobrazić. Ciotce chyba Carlos także się podobał, bo nigdy nie widziałam, żeby okazywała wobec kogoś tyle wyrozumiałości.

To, co historię Amelii odróżnia od *Don Juana Tenorio* Zorrilli, to bardziej perspektywa niż sam wątek. Zorrillę interesowała przede wszystkim postać don Juana – dla mnie godniejsze uwagi jest to, co się dzieje z kobietą, która kocha, ale przypadki wyglądają bardzo podobnie. W ogólnych zarysach sytuacja jest ta sama: w obu miłość wybawia uwodziciela „zaledwie krok od mogiły"; w obu kobieta czeka cierpliwie na swoją chwilę, która następuje dopiero u kresu. To, co robiła Amelia przez całe swoje życie, nie różniło się niczym od tego, co robiła doña Inés na tamtym świecie: czekać, aż nadarzy się okazja, by zaoferować mężczyźnie zbawienie. Zważywszy na misję, jaką ma do spełnienia, doña Inés odgrywa w sztuce zadziwiająco skromną rolę. Pojawia się w scenie z sofą, aby wypowiedzieć przed don Juanem swoje przepiękne:

Idę ku tobie, jak spieszy
rzeka wezbrana ku morzu.

I zaraz potem czyni najbardziej namiętne wyznanie, jakie do tamtej pory kobieta uczyniła mężczyźnie w literaturze hiszpańskiej:

Więc albo serce mi wyrwij,
albo mnie kochaj, jedyny.

Po czym znika aż do końca dramatu, kiedy to przychodzi zabrać z sobą duszę zabitego w pojedynku mężczyzny. Trochę to niesprawiedliwe ze strony Zorrilli, że przydziela tej postaci tak skromną rolę. Pierwszeństwo ma mit don Juana, w porządku, ale tak czy owak szkoda.

Idąc za porządkiem faktów, mogłabym zrobić to samo z Amelią: noc poślubna, długie lata nieobecności Carlosa, jego powrót, ponowne odejście i na koniec scena finałowa w całej swej wyrazistości. Kiedy jednak dochodzi do rozstania, o wiele bardziej frapujące wydają mi się odczucia Amelii niż Carlosa. Tu nie chodzi o żadne tam rewindykacje feministyczne, lecz tylko i wyłącznie o zwykłe zainteresowanie postacią. Na przykład wiele bym dała za to,

121

żeby się dowiedzieć, dlaczego Amelia usiłowała dać do zrozumienia, że nie utrzymywała ze swoim mężem stosunków fizycznych.

Po śmierci ojca wyjechała z nim, potem przez jakiś czas mieszkali w Madrycie i za granicą. Z którejś podróży wróciła z kilkumiesięcznym niemowlęciem – jak twierdziła, adoptowanym. Ciekawe, że od samego początku ani rodzina, ani najbliżsi przyjaciele nie uwierzyli w to, nie kupili tej bajki o adopcji. Kiedy chłopczyk podrósł, stało się oczywiste, że jest synem Carlosa: po prostu skóra zdarta z ojca. Chociaż okazał się człowiekiem zupełnie innego pokroju – na szczęście dla Amelii. Dobry był z niego chłopak i przez całe życie nie sprawiał matce kłopotów.

Zastanawiam się, czy to nie z powodu fizycznego podobieństwa do ojca wszyscy powzięli takie, a nie inne przypuszczenia. Ciotka Mercedes nie ma w tej sprawie nawet cienia wątpliwości: jej zdaniem cała rodzina od początku była przekonana, że chłopczyk jest nie tylko dzieckiem Carlosa, ale z całą pewnością także Amelii. Jak to wytłumaczyć? Dlaczego nie chciała się przyznać, że miała dziecko z własnym mężem? Kościół – póki nie nastał papież z Polski – zawsze uznawał i usprawiedliwiał pożądanie cielesne w związku małżeńskim; nawet osoby najbardziej konserwatywne udzieliłyby jej swego błogosławieństwa, skoro wypełniała małżeński „obowiązek". Czym zatem można wytłumaczyć taką postawę?

Ciotka Mercedes przypuszcza, że Amelii zależało na ukazaniu związku z Carlosem jako tak zwanego białego małżeństwa. Ja sama nie umiem znaleźć innego wyjaśnienia. Nawet jeśliby to było dziecko innej kobiety, skoro nie wahała się go adoptować, logiczne byłoby twierdzić, że jest jej. Oszczędziłaby synowi przykrości w późniejszych latach, a sobie komentarzy na temat swego małżeństwa. Jeśli tego nie uczyniła, widać miała poważne racje: te same, które kazały jej milczeć po tym, jak pierwszy raz została porzucona. Zachowywała się tak, jakby mąż wyjechał w sprawach służbowych, a ona czekała na jego powrót. Fakt rozłąki nie przesądzał o zerwaniu małżeńskiej więzi. W takim razie – dla podtrzymania tej wersji – musiała starać się wytworzyć przekonanie, że kiedy byli razem, również nie dochodziło między nimi do zbliżeń. Obojętnie, czy Carlos był, czy go nie było – wszystko wyglądało tak samo. Powiem więcej, ciotka Mercedes nie wątpi, że faktycznie nie utrzymywali ze sobą stosunków fizycznych, a dziecko było tylko owocem przypadkowego zbliżenia – powiedzmy, chwila słabości z jej strony czy jego chętka. Pomna na wszystko, co powiedziano dotąd, przychylam się do takiej interpretacji. To, co Amelia czuła wobec Carlosa, wykraczało poza przyjemność, jaką mogła czerpać ze zbliżeń fizycznych. Jeszcze wrócę do tego tematu.

Podejmowana czasem przez kobiety decyzja odmowy współżycia z mężem, który je zdradza, podyktowana jest chęcią nie tylko zachowania twarzy, ale też podkreślenia dystansu wobec kochanek. Myślę, że coś podobnego powodowało Fridą Kahlo w stosunku do Diega Rivery w jej drugim małżeństwie oraz – z zachowaniem wszelkich proporcji, Frida czuła się bowiem podziwiana przez męża jako artystka i jako człowiek – naszą Amelią.

Tyle że Amelia nie miała więcej dzieci. Byłby to argument za tym, że chłopiec nie był jej synem. Nigdy jednak nie twierdziła, że nie może mieć dzieci, ani nie tłumaczyła tym faktem decyzji adopcji. Według jej wersji rodzice dziecka – cudzoziemcy, przyjaciele Carlosa – zginęli w wypadku. Wydawało się to tak naciągane, że nikt w tę bajkę nie uwierzył.

Niewykluczone zatem, że dziecko było owocem przelotnej miłostki Carlosa, a już on sam zadbał o to, żeby sytuacja się nie powtórzyła, choćby ze względów finansowych: mając wokół siebie gromadę dzieciaków, Amelia musiałaby bardziej liczyć się z wydatkami. Carlos był z nią tylko tyle, ile trzeba było, aby przepuścić cały majątek zgromadzony na koncie bankowym oraz sumę uzyskaną ze sprzedaży nieruchomości. Jeśli chodzi o szastanie pieniędzmi, miał rzeczywiście imponująco lekką rękę.

Kiedy zostawił ją po raz drugi, wróciła do rodzinnego domu z adoptowanym rzekomo chłopczykiem, który już w wieku trzech lat do złudzenia przypominał Carlosa – po prostu wykapany tatuś. Żyła nieco skromniej, póki nie odziedziczyła ziemi po ciotce, a raczej póki ta ziemia nie nabrała wartości.

Przyjęła dawny styl życia, tyle że zamiast z ojcem spacerowała teraz z dzieckiem. I tym razem również nie poczyniła żadnych kroków w celu uzyskania cywilnej bądź kościelnej separacji. Wszystko tak samo jak za pierwszym razem, przynajmniej na pozór. Musiała jednak cierpieć bardziej, ponieważ pozbyła się wszelkich złudzeń co do planów Carlosa względem niej, a także głębszych nadziei na jego uratowanie. Przypuszczam, że były to dla niej trudne lata. Poza własnym bólem musiała jeszcze znosić krytykę, nawet jeśli nie formułowaną bezpośrednio, to doskonale wyczuwalną w luźnych komentarzach: oto pozwoliła temu utracjuszowi roztrwonić nie tylko swoje pieniądze, ale także to, co się należało „adoptowanemu" dziecku, które zostawało bez ojca.

Przyjęła nową sytuację z tym samym spokojem i godnością co za pierwszym razem: nie narzekała, złego słowa nie mówiła o mężu ani nikomu się specjalnie nie zwierzała. Z synem mówiła o Carlosie jak o kimś nieobecnym;

póki był mały, w jego pokoju wisiał portret ojca. Nie wiem, w którym momencie powiedziała chłopcu prawdę, ale z pewnością nie tak szybko. W małym miasteczku nie da się utrzymać w tajemnicy podobnej wiadomości, wiem to z własnego doświadczenia. Już od przedszkola do dzieciaka docierały pewno rzeczy, których nie rozumiał – jakieś aluzje, przemilczenia, wymowne spojrzenia, kojarzone z faktami poznawanymi w rodzinie. Moja matka była nieślubnym dzieckiem i wiedziałam o tym dużo wcześniej, niż mogła przypuszczać, że w ogóle wiem, co to znaczy. Wiedziałam też, kto był jej ojcem; poinformowali mnie o tym w szkole koledzy niewiele starsi ode mnie. Powiedzieli mi, że jakieś tam dzieci są moimi „przyrodnimi kuzynami", i wytłumaczyli, jak to jest, że można mieć kuzynów, którzy nie należą do twojej rodziny. Miałam wtedy z siedem lat. Tak więc głowę daję: w tym wieku syn Amelii wiedział już, że jego ojciec mieszka z inną panią i że zostawił mamę i jego. Bardziej chyba musiała mu doskwierać ta „plama" na honorze rodziny niż sam brak ojca, bo było to dziecko wypieszczone i wychuchane, oczko w głowie Amelii i całej rodziny, która traktowała je jak sierotę.

Ciotka, która zapisała Amelii ziemię, osoba samotna, kierowała się chęcią wsparcia najbardziej potrzebujących członków rodziny; nikt nie miał nic przeciw temu. Nikt też nie mógł przewidzieć, że w ciągu kilku lat rozwój turystyki i – co za tym idzie – ożywienie budownictwa na wybrzeżu znów uczyni Amelię milionerką. Wobec takiego obrotu spraw wszyscy spodziewali się – ja również – że Carlos znów da znać o sobie. Kiedy pierwszy raz ciotka relacjonowała mi tę historię, zawołałam, uprzedzając ciąg dalszy: „I trzeci raz poszła za nim!". Uśmiechnęła się nie bez odrobiny złośliwości i odparła: „Nie. Jej syn miał już dwadzieścia parę lat, skończył prawo i Amelia przekazała mu wszystkie sprawy majątkowe, żyjąc sama wolna od trosk finansowych".

Ja także miałam wówczas dwadzieścia lat i wydawało mi się oczywiste, że kobieta pięćdziesięcioletnia okazuje więcej rozsądku i nie daje się zwieść kolejny raz. Teraz nie sądzę, aby wiek i fakt posiadania dorosłego syna miał ją strzec przed namiętnościami i słabością.

Przypuszczam, że Amelia obawiała się kolejnego powrotu Carlosa i własnej uległości i dlatego podjęła te same kroki, jakie podjął jej ojciec przed śmiercią: zabezpieczyć majątek... a przy okazji zażegnać niebezpieczeństwo. Wiedziała, że jeśli przekaże wszystko synowi, nie da Carlosowi sposobności powtórzenia manewru. Nie zapomniała go ani nie stał się jej obojętny. Po prostu w momencie życia, w którym swojego „szaleństwa" nie mogła już usprawiedliwiać młodzieńczym niedoświadczeniem ani chęcią sprowadzenia Carlosa na dobrą drogę, zastosowała specjalne środki ostrożności. Ale wciąż go kochała. A gdy dowiedziała się, że jest śmiertelnie chory, odnalazła go, by z nim zamieszkać.

XIII

Kiedy okazało się, że Carlos ma raka, Amelia zrobiła coś, co wprawiło w osłupienie wszystkich dookoła: pojechała do Madrytu i zjawiła się w domu, w którym Carlos mieszkał z inną kobietą – z zamiarem pozostania tam i opiekowania się nim aż do śmierci.

Nikogo nie było przy tej rozmowie i wszystko, co wiadomo na ten temat, pochodzi z późniejszej relacji Amelii oraz wniosków wysnuwanych przez rodzinę na podstawie najdrobniejszych szczegółów – komentarzy służącej, portiera, pielęgniarek, lekarza opiekującego się Carlosem i relacji adwokata prowadzącego sprawy spadkowe. Skromne to dane i w sumie niezbyt wiarygodne.

Ciotka przekazała mi wersję następującą: Amelia odnalazła Carlosa i przegoniła tę drugą, która była zwykłą dziwką i na widok świętej małżonki zmyła się jak niepyszna. Ciotka ujęła to jakoś tak: „Przepędziła dupodajkę, gdzie pieprz rośnie". Może zresztą nie powiedziała „dupodajkę", bo byłoby to w jej ustach zbyt wulgarne, tylko po prostu „tę drugą" – jak się zwykło nazywać ową kobietę w rodzinie. Spytałam, co to była za jedna, co robiła, na co ciotka wzruszyła ramionami w geście pogardy i odparła: „Ach, pierwsza lepsza". Towarzyszka Carlosa nie należała do tej samej klasy społecznej, a fakt, że żyła z mężczyzną na

127

kocią łapę, w oczach ciotki czynił ją nieodwołalnie ladacznicą. Taka była wówczas mentalność mojej rodziny, a przypuszczam, że i Amelii. Sądzę zatem, że Amelia, pojawiając się w domu Carlosa, miała poczucie wyższości, jaką daje świadomość, że ma się całe środowisko, a nawet Boga po swojej stronie.

Pytając, kim była ta kobieta i co robiła, odnosiłam chyba całą sytuację do swoich czasów i kontekstu społecznego, w którym żyję, a nie do środowiska ciotki, ponieważ jeszcze przez długi kawałek dwudziestego wieku „ta druga" była z punktu widzenia społeczeństwa nikim; nie wykonywała żadnej pracy czy zajęcia budzącego szacunek. Była biedną dziewczyną czy kobietą dojrzałą w latach, która zebrała trochę grosza, znosząc jakiegoś starucha, i korzystała z tych pieniędzy, przepuszczając je z kimś młodszym. Zawsze traktował ją z pogardą cały świat mieszczański.

Nie należało również do rzadkości, by małżonek, pokajany i zmęczony, wracał na łono rodziny i pozwalał się pielęgnować żonie, która leczyła go z licznych przypadłości. Ta zaś musiała niejednokrotnie zachowywać się jak bohaterka opowiadania Pardo Bazán, zatytułowanego *La enfermera*, czyli „Pielęgniarka". Ukazuje ono historię kobiety – wzoru cnót – która dniem i nocą czuwa u wezgłowia chorego i niewiernego małżonka. Ten, skruszony, pragnie wyznać przed nią swoją zdradę i prosić o przebaczenie. Kobieta nie ma zamiaru go słuchać. Oświadcza, że przebacza, ale chce, by milczał. Mąż nalega, na co ona, z rysami wykrzywionymi nienawiścią, rzuca mu w twarz oskarżenie o to, że złamał jej życie: „Krzywdziłeś mnie, znieważałeś, byłeś udręką mej duszy, zabrałeś mi spokój, piołunem i żółcią mnie poiłeś! I nawet nie zadałeś sobie trudu, by popatrzeć, jak więdną moje lata, przekwita piękność, a dusza, tak kiedyś ufna i czysta, nasącza się jadem! A gdy poczułeś oścień śmierci – śmierci, tak, i to rychłej, właśnie! – wtedy zwróciłeś się ku mnie". On, zdruzgotany, nie mogąc dać wiary temu, co słyszy i czego się nie spodziewał, znów prosi o przebaczenie i przypomina, z jaką czułością żona podała mu przepisane lekarstwo. Wówczas kobieta wybucha histerycznym śmiechem: „Tak, dałam ci napar! Każdego dnia podawałam ci napar... – byś jeszcze bardziej cierpiał!".

Amelia nie miała zamiaru mścić się ani pozbawiać Carlosa życia. Chciała uratować jego duszę, no i nie dopuścić do skandalicznej sytuacji, w której ojciec jej dziecka i legalny małżonek zmarłby, pozostając w związku z inną kobietą. Takie było podłoże religijne i społeczne jej decyzji.

Ta część opowieści może rzeczywiście wydawać się trochę nie z tej epoki, nie mówiąc już o tym, że w ogóle dość niezręcznie wypada sprzęgnięcie u Amelii religii z poczuciem władzy w stosunku do osoby słabszej, pogarda wobec kobiety, która mieszka z Carlosem, oraz swego rodzaju bezwzględność w dążeniu do tego, by małżonek ladaco „zmarł opatrzony świętymi sakramentami". Co zresztą nawet ciotka skwitowała tonem na poły zdumienia, na poły podziwu:

– I pomyśleć, doprowadziła do tego, że po takim rozpustnym życiu zmarł pojednany z Kościołem.

Dziwiło ją, że namiętność Amelii mogła dać początek czemuś dobremu, takiemu jak zbawienie duszy. I bynajmniej nie była w tym pozytywnym zdumieniu odosobniona. Wszyscy, poza ciotką Malen, okazywali Amelii szczerą aprobatę. W oczach rodziny i całego otoczenia odniosła triumf. Według mnie była to jednak kwestia drugorzędna. W rzeczywistości chodziło o coś zupełnie innego. Jestem pewna.

Ciotce Mercedes nie mieściło się to wszystko w głowie, nigdy bowiem nie doświadczyła na sobie owej siły, która pcha cię ku jakiejś osobie, przewalczając wszelkie argumenty i ewentualne środki ostrożności. Jeśli nie czujesz tego – nie zrozumiesz. Podobnie jak istnieją osoby szczególnie skłonne do miłosnych uniesień, bywają też absolutnie odporne na nie, i ciotka właśnie do takich należała: wiedziała, że mężczyźni i kobiety popełniają szaleństwa, rozpaleni namiętnością, ale odbierała to jako coś równie dalekiego i obcego jak, dajmy na to, rachunek nieskończoności. Jeśli nie pojmowała Amelii jako młodej dziewczyny, tym bardziej nieodgadnione były dla niej motywy jej działania w starszym wieku. To, że bezradna staje wobec tego ciotka, nie dziwi mnie specjalnie, ale *on*? Przecież każda wrażliwa osoba i na poziomie, która zatrzyma się chwilę nad tą historią, zrozumie, że mowa jest w niej o uczuciach nieobcych żadnej epoce; inna sprawa, że niewielu ludzi zdolnych jest kochać w ten sposób.

Tego, co czuła Amelia wobec Carlosa, nie zdołały stłumić ani lata, ani jego nieobecność. Bez wątpienia decydującą rolę odgrywał pociąg fizyczny, ale w nieco szerszym sensie niż tylko pożądania seksualnego. W *Księżnej de Clèves* hrabiny de La Fayette bohaterka umiera z miłości do człowieka, z którym nie pozwoliła sobie na najodleglejszy nawet kontakt fizyczny. To samo dzieje się z Elvirą i Maciasem w *El Doncel de don Enrique el Doliente* Larry. A – w rozkwicie naturalizmu – ojca Manrique z *Doñi Luz* Valery (autora skądinąd doświadczonego w miłosnych zapasach) o śmierć przyprawia miłość do kobiety, z którą łączyła go jedynie najniewinniejsza rozmowa. We wszystkich tych przypadkach, i w wielu innych godnych zacytowania, mamy do czynienia z miłością nieznającą cielesnego spełnienia. Tak jak w historii Amelii uczucie, które każe tym ludziom „życie oddać i duszę", nie zależy od rozkoszy, jaką niesie z sobą fizyczne zdobycie drugiej osoby.

Pragnienia czyjejś bliskości nie nasyci zaspokojenie fizyczne. Ale nie chodzi mi również o przeżycie duchowe, bez odniesienia do cielesności. Kochamy czyjeś ciało, żywe, które mówi, śmieje się, działa i poprzez które przeziera dla nas duch, osobowość. Rozkosz fizyczna rodzi się w dużej mierze z zachwytu, jaki odczuwa kochający wobec tego ciała; w pewnym sensie mu towarzyszy. Nie może być mowy o pełnej satysfakcji fizycznej, jeśli nie łączy się ona z uwielbianym w myślach obrazem, jeśli w pieszczotach nie rozpoznaje się ciała wcześniej upragnionego i wyobrażonego. Wszystko to odnalazła Amelia w Carlosie: kochała jego ciało, jego sposób poruszania się, mówienia, patrzenia, jego wytworność, doświadczenie, jego sławę donżuana. A poprzez jego wizerunek fizyczny i społeczny dostrzegała godną miłości duszę, o którą warto było walczyć.

Namiętność miłosna przeradza się w pewnych, nielicznych, wypadkach w czułość, bliskość porozumienia; zwykle – w zmęczenie i przesyt. Nie mogłabym się podpisać obiema rękami pod romantycznymi teoriami na temat miłości, uważam jednak, że doskonale ujmują one pewne nieodłączne aspekty psychologiczne tego stanu. Należy do nich proces idealizacji, który Stendhal nazwał „krystalizacją". W swoim traktacie *O miłości* mówi:

W kopalniach soli w Salzburgu wrzuca się w czeluść szybu gałąź odartą z liści; w parę miesięcy później wydobywa się ją okrytą lśniącymi kryształkami; najdrobniejsze gałązki, nie większe od łapki sikory, przybrane są mnóstwem ruchomych i lśniących diamentów, nie można poznać pierwotnej gałęzi.

Krystalizacją nazywam czynność myśli, ducha, która we wszystkim, co widzi, odkrywa przymioty ukochanej osoby[*].

---
[*] Stendhal, *Dzieła wybrane*, t. I, *O miłości*, księga pierwsza, rozdz. II, s. 76, przeł. Tadeusz Żeleński (Boy), Warszawa 1982.

Wydaje mi się również niepodważalną prawdą, że jedynym rodzajem miłości, który zachowuje w pełni siłę oddziaływania, jest miłość niespełniona. Pozostając w sferze pragnienia, nie traci mocy, nie przybiera innej postaci ani się nie wyczerpuje. Romantycy – poczynając od Byrona, w realnym życiu zakochanego w przyrodniej siostrze Auguście – głosili hasło, że tylko miłość niemożliwa do spełnienia nie przynosi rozczarowania. W Hiszpanii Espronceda wyraził najmocniej przekonanie o tym, że nie dane mu będzie spotkać w życiu istoty, która zdołałaby nasycić jego miłosne pragnienia:

Chcę kochać, chcę, by przede mną
rozkwitły boskie rozkosze,
jakie w umyśle swym noszę
– w świecie ich szukać daremno!

Jedyną kobietą zdolną zaspokoić jego tęsknotę jest nie istota realna, lecz wytwór wyobraźni poety, zrodzony z głodu miłości – „kłamliwa obietnica nadziei", jak wyznaje w Pieśni II *El Diablo Mundo*.

Tym, który posunął się najdalej w idealizacji przedmiotu westchnień i wziął największy rozbrat z rzeczywistością, był jednak Bécquer. W rymie XI odtrąca kobiety pragnące mu zaoferować kolejno namiętność i czułość i wzywa tę, która wychynęła jedynie z jego fantazji:

– Jestem marzeniem, co się nie spełnia,
marą utkaną z blasku i mgły.
Wyzbyta kształtów, nie rzucam cienia;
kochać nie mogę...
– O tak, przyjdź ty!

Doświadczenie zdaje się potwierdzać, że przestajemy cenić wszystko, co już posiadamy, co zdobyliśmy. Jedynie lęk przed utratą, świadomość, że miłość jest czymś ulotnym, może podtrzymywać żywy płomień naszych pragnień. I tak właśnie było w przypadku Amelii. Żar jej miłości nie zetlał, nie dał o sobie znać przesyt – w tak krótkim okresie bliskości. Siła, z jaką Carlos pociągał ją ku sobie, pozostała nienadwątlona. Z biegiem lat i wobec faktu porzucenia miłość Amelii stawała się coraz bardziej bezinteresowna, czysta, bezcielesna: kochała go, nie spodziewając się wzajemności ani nie oczekując nagrody, którą byłaby jego obecność. Nie zapomniała go. A gdy uznała, że Carlos w swojej sytuacji doceni to, co miała mu do zaofiarowania, postanowiła go odnaleźć.

XIV

Amelia wyjeżdża do Madrytu, nic nikomu nie mówiąc o swoich zamiarach. Jeśli się nie uda – chociaż jest dobrej myśli – nie chce, żeby jej decyzja dotarła do publicznej wiadomości.

Mam ją przed oczyma: jak idzie w kierunku domu Carlosa w dzielnicy Salamanca. Ubrała się starannie, ale jeszcze zerka na swoje odbicie w oknie wystawy. Wciąż jest szczupła i zachowała zgrabną figurę. Odmładza ją krótka fryzura – i dobrze jej w tych pantoflach na obcasie. Nie wygląda na tyle lat, ile ma naprawdę. Serce uderza jej żywiej, bo w oknie wystawowym widzi siebie taką, jaka była w wieku dwudziestu lat: ta sama elegancja, ta sama drobna sylwetka, te same nogi. Szyba nie odbija zmarszczek ani zwiotczałej skóry. Znów to szaleństwo, myśli. Tyle że więcej doświadczenia, spokój zyskany w ciągu długich lat samotności.

Dom wygląda okazale. Zastanawia się, czy mieszkanie należy do Carlosa, czy do kobiety, z którą Carlos żyje. Całkiem możliwe, że do niego, zważywszy na dzielnicę i samo mieszkanie: eleganckie, o wysokim standardzie. Tamta ma pewno lokum w Chamberí albo Lavapiés, myśli.

Podaje numer lokalu portierowi, który, w zależności od estymy, jaką wzbudzają w nim przychodzący, albo rusza się ze swojej kanciapy, albo nie. Tym razem odprowadza kobietę do windy, lustrując ją ze źle skrywaną ciekawością. Pan hrabia nieczęsto przyjmuje wizyty tak wytwornych pań.

Służąca w fartuszku uchyla drzwi mieszkania; Amelia mówi, że chciałaby się widzieć z panem. Nigdy nie używała tytułu męża, chociaż na każdej sztuce wyprawy ślubnej widniała przepięknie wyhaftowana korona hrabiowska nad splecionymi literami A i C. Był to pomysł ciotek, które całymi latami patrzyły potem niepocieszone na bieliznę pościelową, obrusy z cienkiego lnu i ręczniki z pierwszorzędnej bawełny, poskładane w szafach. Ojciec nie życzył sobie, by ich używać, a przecież nie wyrzucą całej wyprawy – wszystko w najlepszym gatunku. Po śmierci ojca Amelia przywróciła ten kram do łask i na tym się skończyło używanie przez nią tytułu hrabiny małżonki.

Służąca prosi, żeby chwilkę zaczekała, nie ma pani, zobaczy, czy pan wstał. Odchodzi, nie spytawszy, kogo ma zapowiedzieć ani czy Amelia jest z panem umówiona. Amelii przelatuje przez głowę myśl, że tutejszej pani domu obce są zasady savoir-vivre'u i że nie umiała przyswoić ich służbie. Niemniej oddycha z ulgą na wieść, że nie będzie musiała widzieć się z tamtą. Tak jest lepiej. Czuje się lekko podenerwowana; omiata wzrokiem przedpokój, bardzo skromnie, prawdę mówiąc, żeby nie powiedzieć nędznie, umeblowany. Widać krucho u niego z pieniędzmi, myśli.

Carlos siedzi w fotelu w sypialni, która jest najjaśniejszym pomieszczeniem całego mieszkania. W pokoju stoi tylko jedno łóżko. Oprócz tego, koło drzwi balkonowych, stolik – taki z wycięciem w dolnym blacie, żeby podłożyć naczynie z żarem i zagrzać nogi – plus dwa fotele. Na jednym z nich leży wełniany koc w szkocką kratę. Carlos lubi siadywać w sypialni, bo zmęczony, może się na chwilę przyłożyć. Przez okno balkonowe wpada światło, z łóżka widać gałęzie drzew. Carlos pyta służącą, co za kobieta chce się z nim widzieć; ma ochotę ofuknąć dziewczynę, że kolejny raz zapomina, jak należy się zachować w podobnej sytuacji. Jednak się pohamowuje. Niech Petra pamięta, żeby zawsze spytać: „Kogo mam zaanonsować?". Tyle wystarczy. W głosie Carlosa czuć lekkie znużenie i zniecierpliwienie, którego ona jednak nie chwyta, jejku, on taki galantny! nie krzyczy i nie wymachuje rękami jak pani, od razu widać, że pan całą gębą, myśli, służące z całej okolicy paplają na ten temat, widział to kto? tak do siebie pasują jak pięść do nosa, a jeszcze żeby zobaczyły ich w domu! Dlatego chciałaby mu dogodzić i by nadrobić swoje nieokrzesanie, pospiesznie opisuje panią, która przyszła mu złożyć wizytę. Bardzo szykowna, mówi, blondynka, chuda, jasne oczy, może pójdę i spytam, seńor? – proponuje, speszona, bo pan jakby zmarszczył brwi. Jasne oczy? – pyta on. Przemknęła mu przez głowę myśl, którą natychmiast odrzuca. Nie, to niemożliwe. Mówi służącej, żeby nie pytała, tylko poprosiła panią do salonu, za chwileczkę przyjdzie. Idzie do łazienki, rzuca okiem do lustra. Wełniany sweter jest trochę wypchany na łokciach. Zdejmuje go i wkłada marynarkę z angielskiej wełny. Tak, w tym mu stanowczo lepiej. Schudł bardzo i jakby go to odmłodziło. Przygładza ręką włosy, skrapia się lekko wodą kolońską, nie za dużo, tak żeby było czuć tylko z bliska. Zgrozę budzi w nim myśl o zapachu choroby, lekarstw. Jeszcze w drzwiach rzuca ostatnie ukradkowe spojrzenie i uśmiecha się sarkastycznie: wygląda na trzydziestkę, zachował smukłą sylwetkę, trzyma się prosto. Tyle że posiwiał. Przed wejściem do salonu poprawia opadający na czoło kosmyk. Pewnie ktoś z rodziny ma tu ochotę powęszyć, myśli dla uspokojenia.

Na widok Amelii nie czuje się właściwie zaskoczony. Zwykle nie zawodzi go intuicja i komentarz służącej nasunął mu myśl, że to może być właśnie ona. Przygląda się jej, szacuje – odkąd sięga pamięcią, zawsze patrzył na kobiety w ten sposób. Dochodzi do wniosku, że wygląda nieźle, lepiej niż większość kobiet w jej wieku. Zakonserwowana jak zakonnica, przemyka mu przez myśl, szybko jednak odsuwa to skojarzenie, by uśmiechnąć się do tej, która patrzy na niego błyszczącymi oczyma.

Amelia, chcąc nie chcąc, czuje przypływ wzruszenia. Po Carlosie znać chorobę, ale nie wygląda na mężczyznę starego, raczej na młodego, który się postarzał; zachował cały urok i to swoje spojrzenie, pod którym Amelia poczerwieniała kiedyś, gdy jej go przedstawiono: Carlos, hrabia... W sposób formalny, nawet trochę śmieszny. Jednak ona, podnosząc oczy i napotykając jego spojrzenie, mimo woli się zaczerwieniła. Teraz też zalewa ją fala gorąca. Od czasu do czasu odczuwa jeszcze przykre dolegliwości związane z menopauzą – w końcu jakaż tu może być inna przyczyna! Miło jej, bo Carlos wygląda na zdziwionego, ale nie zakłopotanego. Widać, że i on jest poruszony; przełyka ślinę i grdyka porusza się w jego szczupłej szyi. Wyciąga do Amelii ręce i uśmiecha się. Mój Boże! Amelia z trudem przypomina sobie, co ją tu właściwie sprowadza, zwłaszcza kiedy on ją obejmuje, kiedy czuje jego zapach – mieszaninę wody kolońskiej i tego ciała, które wciąż pamięta.

Carlos prowadzi ją do fotela, ująwszy pod ramię. Pyta o syna i wnuka. Nie przyjechał na chrzciny, wymawiając się chorobą, ale przysłał wspaniały prezent – jak miał w zwyczaju. Słucha z pozornym zainteresowaniem, wtrącając od czasu do czasu słówko komentarza. Amelia wyczuwa, że mówienie o chorobie to dla niego przejaw złego gustu, lecz dobre wychowanie nie pozwala mu pytać o powód wizyty. Zatem to ona musi zacząć.

– Nie pytasz, po co przyjechałam.

– Sądziłem, że spełniasz jeden z uczynków miłosierdzia co do ciała: chorych nawiedzać.

Przemawia tym lekko sarkastycznym tonem, z poczuciem wyższości właściwym dla światowca, kogoś, kto jest ponad prowincjonalne konwenanse. Podobny ton do szału doprowadzał ojca Amelii, ją również zawsze zbijał z tropu, ale zachwyt, z jakim patrzyła na Carlosa, był silniejszy niż dyskomfort psychiczny. Tym razem nie wyobraża sobie, by Carlos miał ją powstrzymać przed wypowiedzeniem tego, co leży jej na sercu; nie, tego tematu nie obróci w żart. Przypomina sobie maksymę słyszaną nieraz w dzieciństwie od ciotek: „Lepiej niech wierzga, niż trafi do piekła". Ciotkom chodziło o to, że kiedy ktoś jest w niebezpieczeństwie śmierci, należy mu to uświadomić: wówczas zdąży się przygotować. Przy czym nie miały na myśli oczywiście spraw tego świata, testamentu i tym podobnych, lecz życie wieczne.

– Słyszałam, że jesteś poważnie chory.

Carlos wzdycha i chociaż usiłuje się uśmiechnąć w odpowiedzi, w jego głosie brzmi szorstka nuta.

– Jak najpoważniej. Śmiertelnie zgoła.

Nagle dociera do niego z absolutną jasnością, po co przyjechała Amelia. On sam wie, że ma raka, ale stara się jakoś trzymać; w końcu ludzie żyją z tym czasem wiele lat, niektórym udaje się nawet pokonać chorobę. Amelia przyjechała, żeby mu odebrać tę nadzieję, żeby mu zaaplikować świadomość śmierci bez żadnego znieczulenia. Gdzieś w pamięci świdruje mu zdanie: „Wietrzysz śmierć niby sępy"...

Amelia widzi, że nagle się usztywnił. Spodziewała się tego. Zna go takim i wie, jak się zachować.

– Śmiertelnie nie, ale poważnie, o ile mi wiadomo...
Tak czy owak, nie sądzisz, Carlosie, że to dobra sposobność, by pojednać się z Bogiem?
Sama tego nie wymyśliłam. Tak się mniej więcej wyraziła, w tych słowach. Carlos jej nie przerywał. Amelia ciągnęła zatem, że najważniejszą sprawą, jaką powinien załatwić, jest kwestia jego małżeństwa: życie w konkubinacie staje się przyczyną zgorszenia. Carlos odparł, że w jego sytuacji nie obraża to Boga. Ta kobieta jest dla niego bardziej pielęgniarką niż kochanką. Mógł powiedzieć, że tylko pielęgniarką, ale nie pozwoliły mu na to resztki próżności. Mógł też sobie darować zapewnianie, że jej potrzebuje, że w tej sytuacji nie może być sam. W tym momencie Amelia poszła na całość i wyrzuciła z siebie prawdziwy powód swojej obecności w tym domu:
– Przyjechałam, żeby się tobą zaopiekować w czasie choroby.
Carlos jakby przez chwilę stracił kontenans, ale szybko się pozbierał. Umiał postępować z kobietami, manipulować nimi; miał w tej dziedzinie spore doświadczenie, toteż bezbłędnie zorientował się, jakie korzyści może wyciągnąć z zaistniałej sytuacji. Odpowiedział z godnością:
– Bardzo ci jestem wdzięczny za to, że troszczysz się o zdrowie mojego ciała i duszy, ale nie musisz się poświęcać. Są siostry miłosierdzia, które opiekują się chorymi.
Dawał jej tym do zrozumienia, że nie stać go na opłacenie pielęgniarki, ale także że nie oczekuje od niej jedynie współczucia. Na co Amelia kolejny raz sięgnęła po zdanie, którym usprawiedliwiała całą swoją słabość względem tego człowieka i które zawsze miała na podoredziu:
– Jesteś moim mężem, Carlosie, w zdrowiu i w chorobie, w nędzy i w bogactwie, w szczęściu i nieszczęściu...
I będziesz nim, póki nas śmierć nie rozłączy.

Carlos poczuł przypływ wzruszenia, wbrew swej woli. Choroba uczyniła go słabszym, bardziej sentymentalnym. Nie ograniczyła jednak jego zdolności kojarzenia, zrozumiał zatem natychmiast, że oto znów otrzymuje do swojej dyspozycji majątek Amelii... a także uczucia, które mogły trącić dewocją, ale które wolał – ku własnej satysfakcji – uważać za miłość. I nie mylił się.

XV

Podczas tej pierwszej wizyty Amelia przechodzi od razu do konkretów. Mimo że sprawami finansowymi zajmuje się syn, to ona prowadzi dom i dogląda wszystkiego, zatem poradzi sobie. Pyta, czy mieszkanie należy do niego, czy do „tej kobiety". Do Carlosa.

– A więc niech ona się wyprowadzi – mówi. – Jeśli potrzebuje pieniędzy, można to jakoś załatwić... A jeśli sądzisz, że lepiej, abym ja z nią porozmawiała, nie mam nic przeciw temu.

Nie czuje wobec tej kobiety nienawiści ani pogardy. Pod wieloma względami jej zazdrości. Zawsze zazdrościła kobietom, które podobały się Carlosowi. Tysiąc razy zadawała sobie pytanie, co takiego mają, czego nie ma ona, jakie są wobec niego, czym potrafią go pociągnąć i zatrzymać. Nie, nie czuje wobec niej nienawiści. Wie tylko, że tamta powinna odejść jak najszybciej, ponieważ dłużej nie można akceptować zgorszenia. Carlos powinien się niezwłocznie wyspowiadać, przyjąć komunię i pojednać z Bogiem. Skoro jest do tego dobrze usposobiony, nie ma chwili do stracenia. Wygląda na wyczerpanego; w każdej chwili może nastąpić koniec.

Carlos prosi ją, by nie działała pochopnie. Sam chciałby porozmawiać z kochanką i wyjaśnić jej sytuację.

Słychać już, że otwierają się drzwi wejściowe, więc mówi jeszcze:

– Lola jest bardzo dobrą dziewczyną, ale piekielnie temperamentną. Lepiej, żeby nie wiedziała, z jakim zamiarem przyjechałaś.

Nie mówi, od ilu lat są razem ani jak ona opiekuje się nim i pielęgnuje go w chorobie; nie trzeba. Amelię przebiega dreszcz. Pierwszy raz słyszy z ust Carlosa imię tej kobiety i z tego, jak on o niej mówi, w jak naturalny sposób wymawia jej imię, domyśla się, że musi to być długa znajomość, dużo dłuższa niż ich obojga. Nagle przeszywa ją myśl, że Carlos zniknie, jak tyle razy przedtem, że nazajutrz, kiedy ona wróci albo zadzwoni, już go nie zastanie – Carlos odejdzie z tamtą, z Lolą, i nie będzie go mogła odnaleźć. Jednak nie daje za wygraną. W ogóle nie wróci do domu. Zostanie w Madrycie, żeby go przypilnować. Pozostała jej do rozegrania ostatnia partia. I nie ustąpi. Podaje Carlosowi wizytówkę hotelu z adresem.

– Zrób to jak najprędzej. Będę czekała pod tym adresem.

Tamta nie wchodzi do salonu. Dowiaduje się od służącej, że jakaś elegancka kobieta przyszła odwiedzić pana, więc się nie wtrąca. Ile razy spotykali kogoś z rodziny Carlosa na ulicy, w kinie czy teatrze, nigdy się nie witali. Zresztą mieszkanie należy do Carlosa, mimo że ona utrzymuje ich i pokrywa wszystkie wydatki. Rozsądniej będzie nie pojawiać się tam, jeśli on nie wzywa. Służąca postawiła sobie jednak za punkt honoru podniecić jej ciekawość, rozwodząc się nad wyglądem kobiety, która jest u Carlosa. Widać, że prawdziwa dama, mówi, i Lola zdaje sobie sprawę, że dziewczyna robi to na złość, świadoma jej słabych stron. Odpłaca mi pięknym za nadobne, myśli, dobra, jesteśmy kwita; gdyby nie Carlos, nie trzyma-

łabym tu tego darmozjada, siedzi taka cały dzień z założonymi rękami. Przychodziłaby dziewczyna na trzy godzinki przed południem i koniec; im mniej widzi, tym lepiej.
– Ma kostium, że szkoda gadać – nie odpuszcza służąca.
Ona udaje, że nie słyszy, i pyta, czy jest gotowy obiad dla pana i czy pan jadł drugie śniadanie. Nie, zapomniała. Około dwunastej Carlos zwykle pije filiżankę bulionu albo szklankę mleka i Lola uznaje to za dostatecznie dobry pretekst, by wejść do salonu.

Obie kobiety mierzą się wzrokiem z ciekawością i bez śladu wrogości. Kochanka myśli: Jest już niemłoda. Ale prawda, niezły ma ten kostium – dobrze na niej leży, podkreśla szczupłą figurę, i niech będzie, że jest elegancka. Wie, że Carlos nie zwraca uwagi na strój kobiety. Raczej na to, co widać dopiero po zdjęciu fatałaszków i czego można się tylko domyślić pod ubraniem; nie da sobie zamydlić oczu szykownym opakowaniem. Ale i ją niełatwo zwieść pozorami; nie myli jej oko, ta kobieta, ta damulka, myśli, ma już pewno sześćdziesiątkę na karku. Lola musi jednak przyznać, że coś ją w tej kobiecie niepokoi: to, w jaki sposób ona na nią patrzy, jak rozmawia z Carlosem... no nie, jeszcze tego by brakowało, żeby czuła się zazdrosna o kogoś takiego; mimo to nie potrafi odegnać myśli, że ta kobieta, opanowana i świadoma, czego chce, ta sześćdziesięciolatka, stara baba, stanowi dla niej zagrożenie.

Musi być w moim wieku, chociaż wygląda na młodszą, myśli Amelia, podnosząc się. Jest niebrzydka i z pewnością ciągle ponętna – pełna, jędrna brunetka – patrzy prosto w oczy, głowę nosi wysoko. Nie należy do tych, co lecą tylko na pieniądze, i nie jest pierwszą lepszą... Kocha go, myśli, gdyby go nie kochała, nie siedziałaby tu z nim teraz, kiedy jest chory i bez grosza przy duszy. Jednak jeśli naprawdę go kocha, powinna odejść, dla jego dobra. Może trzeba było porozmawiać najpierw z nią. Ma na szyi medalik; są takie kobiety – żyją z kimś bez ślubu albo kupczą swoim ciałem, ale uważają się za wierzące, dają jałmużnę, w domu zapalają świeczkę przed świętym obrazkiem, a to, co robią, robią, bo muszą albo ponieważ kochają, nie wolno nikim pogardzać, jeśli więc go kocha i nosi medalik, będzie rozumiała, że skoro on ma umrzeć, musi od niego odejść, żeby nie umarł w grzechu – porządkuje myśli, sięgając po torebkę i zbierając się do wyjścia...

Carlos nie przedstawia ich sobie, jest jakby trochę zdezorientowany. Sytuacja wymknęła mu się spod kontroli. Nieźle sobie radzi z kobietami, ale pojedynczo; nie wie, co począć ze swoją żoną i kochanką naraz. Wstał również i odprowadza Amelię do przedpokoju. Lola domyśliła się, że Amelia jest żoną Carlosa, ślubną. Wywnioskowała to z jej wieku, wyglądu, ze sposobu, w jaki ta otaksowała ją wzrokiem. Nie bardzo wie, co ma zrobić. Odruchowo idzie za nimi w kierunku drzwi. Słyszy, jak Amelia mówi do Carlosa na pożegnanie: „A zatem czekam w hotelu". Zachowuje się jak ktoś, kto zgłasza się po to, co mu się należy – w jej postawie znać łagodność, ale i stanowczość. Potem Amelia obraca się ku niej i przez moment się waha. Jakby miała zamiar podejść, ucałować ją czy podać jej rękę. W końcu cofa się jednak i mówi tylko: „Żegnam".

Zjeżdżając windą, Amelia dochodzi do wniosku, że powinna się była z nią przywitać. Chrześcijanin nie może okazywać wzgardy grzesznikowi: Chrystus bronił kobiety cudzołożnej i pozwolił, żeby nierządnica namaściła go drogimi olejkami. Ale w jej wypadku to nie była wzgarda, broni się; bierze głębszy oddech i przeciąga ręką po czole. Portier podchodzi usłużnie: „Wszystko w porządku? Może wezwać taksówkę?". Amelia dziękuje z uśmiechem, ma ochotę się przejść, zaczerpnąć powietrza, czuje się niespokojna, niepewna... Powinna była porozmawiać z tą kobietą, od razu wyjaśnić sytuację, nie ma niczego do ukrycia, nie ma się czego wstydzić, a tamta, jeśli naprawdę go kocha, przystanie na propozycję: ich związek jest źródłem zgorszenia i tak dalej być nie może. W każdym razie powinna się była z nią przywitać, jedno nie przeszkadza drugiemu, podać jej rękę, wymienić konwencjonalny uścisk; teraz tamta pewno myśli, że ona okazała jej lekceważenie, żali się Carlosowi, a Carlos przyznaje jej rację, w końcu to ją wybrał, z nią wolał dzielić życie... Dlaczego najpierw z nią nie porozmawiała? ma na szyi medalik, na pewno cierpiała przez niego, kocha go, na swój sposób go kocha i zrozumie, że najlepsze dla niego jest to, co ona proponuje: pielęgnować go aż do śmierci, nic więcej, żeby mógł się zbawić, nie umarł w grzechu... Powinna była z nią porozmawiać, podać jej rękę, ale nie zastanowiła się, nie mogła, nie mogła uścisnąć kobiety, którą on pieścił i całował...

Amelia przystaje i rozpina kołnierzyk bluzki. Jest jej duszno. Oddycha głęboko i próbuje się uspokoić. Zrobiła, co do niej należało. Teraz wszystko jest w ręku Boga i próżno się nad tym dalej zastanawiać. I jeszcze myśli sobie: teraz ona jest z nim, a on...

Carlos wraca do swego pokoju zamyślony. Lola idzie za nim, pyta, czy miałby ochotę na odrobinę bulionu, czy może poczeka już na obiad. On odpowiada, że owszem, chętnie wypiłby filiżankę; tym sposobem zyskuje nieco czasu, by zastanowić się, co jej powie. Ona wraca i siada w fotelu naprzeciwko.

– To była twoja żona, prawda? Co chciała?

Carlos tłumaczy ze swoim zwykłym lekkim sarkazmem: „Przyjechała, żeby pomóc mi się przygotować do śmierci". A kiedy Lola pyta go, i co zrobisz, odpowiada tonem, który wydaje jej się szczery:

– Kocham cię jako kobietę, nie jako pielęgniarkę. Teraz żyję na twój rachunek, rujnuję ci zdrowie... I nie mam ci w zamian nic do zaofiarowania.

Ona patrzy na niego. Poznała go, kiedy był młody, przystojny, bogaty, uwielbiany przez kobiety. Był najprzystojniejszym i najbardziej eleganckim mężczyzną, jakiego w życiu spotkała. Niezły galant, skomentowała kiedyś jej przyjaciółka. Tylko że to nie jest żaden galant, to jest señor, ktoś, o kogo jej przyjaciółka nawet się nie otarła przez całe swoje życie. Prawdziwy pan, hrabia. Te jego prezenty – biżuteria matki, cudowne podróże, no i prezent najcenniejszy ze wszystkich: on sam. Są chwile, okresy, kiedy tylko to jest prawdą. Ale z nim nigdy nic nie wiadomo: kto wie, jak długo zostanie. Tyle że ona zawsze na to przystawała, toteż nie dziwi się, że jego żona również się zgadzała i że za nim przyjechała. Jak on to powiedział? Żeby pomóc mi się przygotować do śmierci. Nigdy przedtem, aż do dzisiejszego dnia, nie mówił o śmierci. Może kolejny raz ją oszukuje, a może naprawdę wie, że wkrótce umrze. Czy robi to dla niej, żeby jej oszczędzić bólu, czy też raczej teraz, kiedy jest chory, szuka pomocy w rodzinie, Kościele, wśród ludzi ze swego otoczenia? Jednego jest tylko pewna – tego, że nie zostawi jej dla tamtej, i chyba ona też to czuje: wie, że Carlos nie kocha żony, nigdy jej nie pragnął jako kobiety. Ale teraz kolej na tamtą, czeka w hotelu na telefon od niego; powiedziała: żegnam, nie: do widzenia, bardzo mi było miło, tylko: żegnam, bo nie chce jej więcej widzieć. A co na to Carlos? Wyglądało, jakby się zgadzał. Na czym w końcu stanęło? Odrywa spojrzenie od jego twarzy i błądzi wzrokiem po pokoju.

– I co postanowiłeś? Co chcesz, żebym zrobiła?

Carlos wzdycha. Podnosi się z fotela, podchodzi do okna i mówi, nie patrząc na nią:

– Wolałym, żeby cię tu nie było, kiedy będę umierał.

W pokoju robi się cicho. Po czym ona mówi, że lepiej wyprowadzi się od razu, że tylko pozbiera rzeczy i przeniesie je do swojego mieszkania. I zaraz będzie mógł zadzwonić do hotelu, do żony. A służącą może zatrzymać.

Carlos odwraca się od okna w jej stronę. Patrzy z powagą, a w jego spojrzeniu jest coś dobrze Loli znajomego. Zbliża się do niej i ją obejmuje.

– Nie spiesz się tak z odejściem. Powiedziałem: kiedy będę umierał, kiedy nie będę miał siły.

Ona pozwala się zaprowadzić do łóżka.

– Zawsze był z ciebie diabeł, Carlosie. Jeszcze dużo się będzie musiała namodlić za ciebie twoja żona.

XVI

Kilka dni po pierwszej wizycie Amelia przeniosła się do Carlosa. Póki nie załatwiła całej sprawy, nie powiadomiła rodziny, po czym postawiła wszystkich wobec faktu dokonanego i najzupełniej oczywistego: Carlos znajdował się u progu śmierci i obowiązkiem jej jako chrześcijańskiej małżonki było towarzyszyć mu aż do końca. Nie wiem, czy z początku otoczenie nie odniosło się do tej decyzji krytycznie, jednak z późniejszej perspektywy oceniło ją jako sukces Amelii: doprowadziła do tego, że syn przebaczył Carlosowi tyloletnie porzucenie, a rodzina ponownie nawiązała z nim kontakt. I – co ważniejsze – za jej sprawą umarł pogodzony z Kościołem, opatrzony świętymi sakramentami i z biskupim błogosławieństwem.

Carlos musiał czuć się wdzięczny i wzruszony z powodu wielkoduszności Amelii. Niewykluczone, że tak jak mąż z opowiadania *La enfermera* prosił ją szczerze o przebaczenie i żałował za krzywdę, jaką jej wyrządził. Na starość wszyscy miękną i stają się bardziej skorzy do łez. Nawet ów dyktator, co to podpisywał wyroki śmierci przy poobiedniej kawce, płakał, odwiedzając sierociniec. Możliwe, że i Carlos kiedyś zapłakał, niemniej Amelia nie wykorzystała jego słabości, żeby wziąć na nim odwet.

148

Siadywała w sypialni Carlosa, przy oknie, i czytała mu gazety, kiedy zmęczył się trzymaniem rąk w górze. Opiekowała się nim i towarzyszyła mu przez cały dzień. Gdy czuł się lepiej, gawędzili. Carlos był wspaniałym interlokutorem i lubił być słuchany. Widział w Amelii swoją ostatnią deskę ratunku na tym świecie, albo i na tamtym – jeśli w niego wierzył. W każdym razie jego nastrój zależał od Amelii i jeśli tylko nie czuł się źle, znów był tym uroczym mężczyzną, do którego kobiety garnęły się jak ćmy do światła.

Czasem gdy ona czyta głośno, on patrzy z roztargnieniem na gałęzie drzew i błyski słońca na jej jasnych włosach. Nagle odzywa się:

– Amelio!...

Ona zdejmuje okulary, żeby na niego spojrzeć.

– Wyglądasz prześlicznie.

Amelia rumieni się, skonfundowana. I to teraz! Będzie już chyba z ćwierć wieku, jak żaden mężczyzna nie prawił jej komplementów. No, żeby tak znowu żaden, to nie. Enrique zawsze jej mówi coś miłego, ilekroć się widują, ale w ciągu minionych lat było tych spotkań niewiele. Wobec Carlosa Amelia doświadcza teraz zupełnie nowych uczuć. Dawno go nie widziała. W jej wspomnieniach zawsze był człowiekiem młodym. To tak jak z kobietami, które tracą męża wcześnie i zachowują w pamięci jego wizerunek. Same się starzeją, lecz patrzą wciąż na fotografie sprzed dwudziestu, trzydziestu lat. Znałam kilka wojennych wdów, które nie wyszły powtórnie za mąż. Opowiada taka o swoim mężu, jaki był z niego miły i dobry chłopak; wyciąga zdjęcie i czujesz się trochę zaskoczona, bo widzisz, że kobieta, która nosi siódmy, może ósmy krzyżyk, całuje zdjęcie chłopca dwudziestopięcioletniego. Patrzy na jego fotografię wiszącą

149

ciągle nad łóżkiem, o nim śni, jego pragnie, jeśli myśli o mężczyźnie.

Amelia chce wymazać z pamięci ten obraz młodości, zamknąć przeszłość. To dla niej swoiste wyzwolenie, w pewnym sensie rewanż, choć przecież nic takiego nie leżało w jej zamiarach. Ten starszy chory człowiek, dziękujący jej za tyle troski, to nie jest Carlos, w którym była zakochana do szaleństwa – choć momentami go przypomina.

Carlos zauważa, że kiedy on jest w lepszej formie, ożywiony, Amelia zamyka się, uchyla przed jego pieszczotami, pocałunkami, i bynajmniej nie z powodu skrępowania czy lęku wobec choroby; przecież w gorszych chwilach głaszcze go po twarzy, nawet muska ustami jego usta. On nie podejmuje gry, nie chce prosić o to, co przez tak długi czas lekceważył, a zresztą nie ma siły na nic. Może tylko na rozmowę, to prędzej – żeby rozbudzać słowami kobietę drzemiącą w tej pielęgniarce i mniszce. Stara gra, z której nie chce czy nie może zrezygnować. Patrzy, jak Amelia wygładza poduszki na fotelu.

– Wciąż masz tak samo szczupłą talię jak w wieku dwudziestu lat.

Nigdy nie wzbudzała jego zachwytu talia kobiety, jeśli nie była ozdobiona okazałymi biodrami i bujnym biustem, ale wie, że Amelia dumna jest ze swojej figury i świadoma, że ma piękne ręce. Mówi to, co pewno sprawi jej przyjemność. Może z tych samych również względów napomyka o Enrique, owym platonicznym amancie, którym nigdy sobie specjalnie głowy nie zaprzątał. Choć niewykluczone, że teraz właśnie jego istnienie psuje mu krew.

– Podobno Enrique owdowiał. Kiedy umrę, będziesz mogła za niego wyjść.

Amelia się obrusza:

– Co za głupstwa pleciesz!

– Żadne głupstwa. Cały świat wie, że zawsze się w tobie podkochiwał.

Amelia czuje, jak oblewa ją fala gorąca, bo jest w tym cząstka prawdy. Jak donoszą jej przyjaciółki, Enrique, gdy mowa o niej, ciągle jeszcze powtarza: „Spóźniłem się". Zresztą ile razy się spotykają, sposób, w jaki na nią patrzy, wyciąga ręce, żeby ją przytulić, każe przypuszczać, że nie zapomniał tej młodzieńczej miłości, mimo zmarszczek i skroni przyprószonych siwizną.

Carlos widzi, że się zmieszała, i żartuje, przybierając ton osoby udzielającej dobrych rad, jak spowiednik czy ojciec:

– Enrique to dobra partia, nie brak mu talentów, wytrwałości, jest pracowity, odpowiedzialny... chociaż może nieco nudnawy, jak na mój gust.

– Nudnawy? Nigdy w życiu.

– Widzisz? Widzisz, jak go bronisz?... Amelio, bez wątpienia Enrique jest świetnym materiałem na męża, a ty kobietą piękną i pełną życia. Uważam, że byłoby dobrze, gdybyś wyszła za niego, kiedy mnie zabraknie, ale przyznaj, że czasem przynudza tak, że usnąć można – trochę brak mu ikry!

Amelia śmieje się. Widzi, że Carlos nie myśli serio o śmierci, tylko chciałby wiedzieć, co ona czuje wobec Enrique. Może jest ciut zazdrosny, może pierwszy raz, odkąd się znają, Carlos jest zazdrosny o innego mężczyznę. Wydaje jej się to zabawne. Śmieje się.

– Chyba zwariowałeś.

– Ale nie przynudzam!

Co to, to nie. A poza tym nigdy nie był z nią dostatecznie długo, by ją znużyć swoją obecnością. Nie miał szansy.

– Basta – mówi Amelia – przestań już opowiadać banialuki i wypij, proszę, mleko.

Tak mijają dni. Z Carlosem jest coraz gorzej, ale usiłuje trzymać fason i nie traci nadziei. Chwyta się wszelkich środków, jakie oferuje medycyna, a idąc za radą przyjaciół, próbuje także domowych sposobów kuracji. Nie dopuszcza chyba myśli o śmierci, skoro nie zadbał o testament ani nie wspomina o tym, jak i gdzie chce być pochowany. Po południu odmawiają różaniec, a Amelia napomyka, że co rano mógłby go odwiedzać ksiądz z komunią świętą. On jednak obraca to w żart: jeszcze Bóg pomyśli, że chce go zaszantażować; przyjmie komunię na Wielkanoc albo na Boże Narodzenie, podczas najbliższych ważnych świąt. Ona boi się, że pewno ich nie dożyje, ale nie nalega. W miarę jak czas upływa, Carlos wymaga coraz troskliwszej opieki i dwie pielęgniarki zmieniają się przy nim kolejno, dniem i nocą. Amelia jednak go nie odstępuje. Kiedy z jakiegoś powodu musi odejść na chwilkę, on robi się niespokojny i niecierpliwy jak dziecko. Nie protestuje, ale się żali, widać, że jej potrzebuje, że mu jej brak. Amelia, by móc być przy nim także nocą, śpi na kanapie w jego pokoju. Którejś nocy ją woła; wydaje się zdjęty lękiem. Amelia wstaje szybciej niż pielęgniarka i Carlos wyciąga do niej rękę:

– Amelio, umieram.

Amelia klęka przy łóżku. Odkąd się dowiedziała, że Carlos ma raka, tysiąc razy wyobrażała sobie w myślach tę scenę. Wie, co powinna czynić. Jak mawiały ciotki: lepiej niech wierzga, niż trafi do piekła. Powinna zacząć modlitwę za konających i posłać po księdza – już uprzedzonego – żeby udzielił sakramentów. Ale nie robi żadnej z tych rzeczy. Ujmuje w ręce dłoń Carlosa i głaszcząc ją, powtarza:

– To nic, to nic, leż spokojnie...

Powtarza tak, póki on nie przymyka oczu. Wydaje się uspokojony. Po chwili pielęgniarka mówi:

– Umarł, proszę pani.

Amelia obejmuje z płaczem wyniszczone ciało Carlosa, tego starego człowieka, tego mężczyzny, którego kochała do szaleństwa przez całe życie; przywiera twarzą do jego twarzy, całuje jego oczy, usta, jeszcze ciepłe, coś mu szepcze do ucha.

Potem, już uciszona, woła służącą:

– Trzeba zawiadomić proboszcza, żeby przyszedł z ostatnim namaszczeniem.

XVII

Historia Amelii nie kończy się wraz ze śmiercią Carlosa. Gdybym to ja ją wymyślała, oczywiście urywałaby się w tym miejscu, koniec i kropka. Nie przyszłoby mi do głowy wybiegać poza tę śmierć, wieńczącą wielką miłość. Ale życie toczy się dalej i Enrique, który rzeczywiście owdowiał, zaczyna częściej odwiedzać Amelię. Zaczyna ją znów emablować – że użyję słów ciotki Malen – albo – w wersji ciotki Mercedes – popołudniami składa jej wizytę.

Obie komentują to z uśmieszkiem, który budzi we mnie podejrzenia, że Amelia i Enrique stali się nieuchronnie przedmiotem docinków i komentarzy, życzliwych, choć niepozbawionych uszczypliwości. Nie chodziło o jakiegoś tam przyjaciela, ale o mężczyznę, który nigdy nie wypierał się sympatii do owej kobiety, będącej żoną innego. Wiek – mieli oboje pod siedemdziesiątkę – nie chronił ich przed złośliwościami. Sądzę, że wprost przeciwnie. Najbardziej zaskakująca była dla wszystkich stałość Enrique'a, to, że po tylu latach chciał dotrzymywać Amelii towarzystwa; że wciąż ją kochał, a Amelia pozwalała się kochać i może nawet okazywała wzajemność.

Nie zawsze rozmawiali sami. Amelia była bardzo towarzyska i sporo osób ją odwiedzało: rodzina, przyjaciółki, znajomi bawiący u niej przejazdem. Ci spośród gości, którzy bywali częściej, zdążyli się już przyzwyczaić do obecności Enrique. Oboje z Amelią sprawiali wrażenie starego małżeństwa.

Lubię przyglądać się im, jak siedzą na tym wielkim tarasie wychodzącym na morze. Rozmowa toczy się leniwie, czasem cichnie; Enrique ujmuje i głaszcze dłoń Amelii albo patrzy badawczo, czy nie jest smutna lub nie myśli o czymś, co budzi w niej melancholię; Amelia odwzajemnia spojrzenie z uspokajającym uśmiechem, którym zapewnia, że wszystko w porządku, tak już w życiu jest i przecież taki finał ją cieszy.

To nie ja, to Amelia. Ja nie siedzę już z *nim* blisko morza ani blisko niczego. (Ileż czasu trzeba na napisanie powieści!). Myśl o starości budziła w *nim* zgrozę i nigdy nie udało mi się zobaczyć nas tak oboje – dwoje starszych ludzi rozkoszujących się pięknym widokiem. W każdym razie musiałyby to być łąki, gdzie o zmroku zaczynają cię dręczyć komary...

Wątpię też, czy kiedyś przeniosę się nad morze. Nie uśmiecha mi się przesiadywanie tam samej i rozmawianie ze wszystkimi bliskimi zmarłymi. Jest w tym coś absurdalnego i bezsensownego: nie wierzę w żaden tamten świat, niemniej jak tylko przyjeżdżam nad morze, zaczynam rozmawiać z matką. Wykrzykuję na przykład: „Jakie to cudowne miejsce, mamo!". Opowiadam jej też o swoich troskach. Czasem muszę ją uspokajać: „Ależ nie przejmuj się – nie będzie tak źle, zresztą wiesz, że zawsze spadam na cztery łapy". Kiedy indziej znów muszę ją przyhamowywać, zwłaszcza kiedy zaczyna *go* krytykować i wynosić pod obłoki tamtego, który był jej pupilkiem. I wpada w ten swój uprzykrzony ton: „zawsze ci mówiłam" albo: „przyznaj sama, że popełniłaś błąd". Jest bardzo mądrą kobietą i zazwyczaj ma rację, ale jeśli pozwolę jej wejść sobie na głowę, zginę. Więc odpowiadam: „To moje życie, rozumiesz? I staram się je rozegrać jak najlepiej". Mówię jej to, czego nie ośmieliłabym się powiedzieć, póki żyła. A także to, czego nie zdążyłam – umarła nagle – i co uważałam za oczywiste, a teraz mi żal, że nie zdążyłam: na przykład jak bardzo ją kochałam i jak jej potrzebowałam. Między matką a córką zawsze pozostają jakieś sprawy niedopowiedziane; ja noszę w sobie wiele takich wątków i wracam do nich, jak tylko przybywam nad morze. Ale zostawmy to. Więc nie miałabym nic przeciw temu, żeby być tą Amelią – szczęśliwą staruszką, spędzającą czas w miłym towarzystwie. Naturalnie, że bym nie miała. Uważam jednak, że niezależnie od złego losu, jaki zawsze może się stać naszym udziałem, każdy nosi wpisaną w siebie zdolność odczuwania radości bądź smutku. I tak Amelia, która przeżyła życie w samotności, nigdy nie była smutna, zrezygnowana, i nawet bez Enrique w starości zachowałaby pogodę – z synem, synową, otoczona wnuczętami. Należała do osób łatwych w kontaktach, przyjacielskich, i ludzie garnęli się do niej, szukając ukojenia. Tak właśnie było z Enrique. On również nie poddawał się smutkom. Nie miał na to czasu. Musiał zdobywać z trudem wszystko, do czego doszedł. Z pewnością kosztowało go to niemało wyrzeczeń; dokonując jednak bilansu, czuł zadowolenie. I wciąż był jednakowo uparty, nieskory do rezygnowania z czegokolwiek, co życie mogło mu oferować. Niekiedy wyobrażam go sobie, jak ujmuje Amelię wpół i prowadzi do jej sypialni. Amelia nie protestuje, uśmiecha się: W naszym wieku? Enrique! A mówi to takim tonem, jakby przemawiała do wnuków, którym pozwala jeść tyle słodyczy, ile dusza zapragnie: cieszy się ich radością i nie podziela opinii swojej synowej na temat szkodliwości jedzenia ciastek. Kiedy potem się ubierają, Amelia mówi:

– Zobaczysz, jeszcze nas kiedyś przyłapie moja synowa. Albo don Manuel, proboszcz. Co za wstyd!

Nie wygląda jednak na zawstydzoną, bardziej chyba na zadowoloną. Wobec czego Enrique replikuje, zapinając kamizelkę:

– Więc się pobierzmy, Amelio. Nie obchodzi mnie, co powiedzą ludzie.

Amelia śmieje się:

– Prawdę mówiąc, wolę się wyspowiadać od czasu do czasu. Jestem pewna, że Bóg mnie rozumie.

Lubię tak ich sobie wyobrażać, ale z pewnością było zupełnie inaczej. Amelia uważała za grzech śmiertelny współżycie pozamałżeńskie i po tym, jak wybawiła od potępienia duszę Carlosa, nie zamierzała narażać na zgubę duszy przyjaciela ani własnej. Przecież miała spotkać się z Carlosem na tamtym świecie. Poza tym był jeszcze ów wizerunek idealnej małżonki chrześcijańskiej, który należało pielęgnować. Tyle czasu spędzała jednak z Enrique, tak dobrze im było razem, byli wolni, a on nigdy nie krył się ze swoją sympatią dla niej... Kiedyś musiało przecież dojść do rozmowy. Jakiegoś wyjaśnienia, deklaracji. Mogła to być sytuacja nieoczekiwana, przypadkowa: on pomaga jej zawiesić stroik bożonarodzeniowy czy obraz albo może ustawić książki na półce w bibliotece. Ona potknęła się czy obróciła raptownie, nie wiedząc, że Enrique stoi za nią, on otworzył ramiona, żeby ją podtrzymać, przygarnął do siebie, szuka ustami jej ust. Amelia nie wyrywa się, ale odwraca twarz, tak że jego usta muskają tylko lekko jej policzek. „Enrique, na miłość boską!", szepcze. Wypowiada te słowa z czułością, ale nie odwzajemnia jego uścisku. Enrique odsuwa się, z bólem. Na czole zarysowuje mu się zmarszczka: oto odrzuca go, podczas gdy tyle razy oddawała się mężczyźnie, który

157

absolutnie nie był jej wart, łajdakowi, który ją uwiódł i z niej zadrwił. Amelia zrozumiała ten grymas i teraz ona bierze go za rękę i prowadzi w kierunku foteli, na których zwykle siadają:

– Enrique, zawsze szanowałam cię jak przyjaciela i chciałabym, żeby tak między nami zostało. Proszę cię!

Enrique potakuje głową i wzdycha.

– Nigdy nic do mnie nie czułaś. A kiedy się zestarzałem, jeszcze mniej.

Amelia rumieni się. Całe życie pilnowała, żeby jej zachowanie nie zdradzało żadnych uczuć, zaangażowania. Swoim stwierdzeniem Enrique sięga do spraw, których nie chciałaby wydobywać na światło dzienne. Mówi więc:

– Pragnę jedynie spokoju, Enrique. Spełniłam swój obowiązek i teraz potrzeba mi tylko odrobiny spokoju. Nic więcej.

Jemu nie przychodziło chyba zbyt trudno rezygnować z fizycznego zbliżenia z Amelią. W rezultacie nigdy przecież do niego nie doszło, a zresztą pewno zdawał sobie sprawę, że jako kochanka Amelia nie ma mu zbyt wiele do zaoferowania. Prawdopodobnie nieraz nawiązywała do tego Carmen – że Carlosowi podobają się „prawdziwe samice" – sto procent kobiecości, a Amelia jest bezbarwnym dziewczątkiem, z tych co to w łóżku ani me, ani be. W młodości właśnie to pociągało u niej Enrique; uważał ją nie za mdłą, ale za niewinną i podniecała go myśl o tym, że mógłby obudzić śpiącą królewnę, otworzyć ją na świat namiętności. Kiedy jednak ma się siedemdziesiątkę na karku, taka perspektywa nie wydaje się zbyt atrakcyjna; ani on nie ma już sił i chęci, ani ona nie jest tą złotowłosą z jego snów. Nie zapominajmy też o dumie zdobywcy: nie będzie zbierał resztek, które zostawił inny.

Wszystko to może być prawdą, ja jednak wolę trwać w przekonaniu, że tym, co każdego popołudnia kierowało kroki Enrique do domu Amelii, była po prostu i zwyczajnie miłość. Wielkoduszna i bezinteresowna miłość, znajdująca zaspokojenie w tym, co owa kobieta może mu ofiarować. Dla zdobywcy także wybiła godzina wytchnienia; dlatego nigdy nie powiedział ani nie uczynił niczego, co nie pasowałoby do roli, jaką odgrywał przez całe życie: platonicznego kochanka. I dobrze mu z tym. Lubi, kiedy ona pyta go o radę w najrozmaitszych kwestiach, począwszy od spraw kultury, a skończywszy na życiu rodzinnym: „Nie sądzisz, że moja synowa jest zbyt wymagająca w stosunku do dzieci?". On wyraża swoją opinię, cieszy się, kiedy ona słucha, kiwając głową na znak aprobaty: „Jasne, masz rację" albo powtarzając: „Nie wiem, co bym bez ciebie zrobiła, Enrique". Przypomina mu się wówczas Carmen, tak niezależna, samowolna: „Rób, jak chcesz, ale mnie nie będziesz rozkazywał. Każdy może mieć swoje zdanie". Na tym etapie życia Enrique nie potrzebuje niczego więcej. Miło mu, gdy Amelia czyta polecone przez niego książki, bierze pod uwagę jego zdanie, kupując obraz lub wybierając się do teatru, albo gdy interesuje się jego pracą, tak że go to momentami zawstydza: „Przez całe popołudnie rozmawiamy tylko o moich sprawach, Amelio; co za egocentryk ze mnie". I lubi też, kiedy Amelia mówi: „Popatrz, minęło popołudnie – nie wiadomo kiedy". I kiedy jej go brak: „Dzień, w którym nie przychodzisz, wlecze się dla mnie bez końca".

Enrique spogląda na morze. Zawsze pozostaje coś, czego się nie osiągnęło, i trzeba odejść z tego świata z niespełnionym pragnieniem. Lub niepewnością: co by było, gdyby zjawił się przed Carlosem? Jak wyglądałoby jego życie z nią? Czy kochałaby go tak, jak kochała Carlosa? A on, czy pragnąłby jej tak, jak pragnął Carmen? Czy gdyby miał absolutnie swobodny wybór, nie wolałby w końcu tej burzy i zamętu, tej olśniewającej piękności, jaką była jego żona? Wzdycha i rozluźnia nieco węzeł krawata. Amelia patrzy nań zaniepokojona; nigdy nie słyszała, żeby tak wzdychał, a przecież zawał zaczyna się zwykle bólem w miejscu, na którym położył rękę.

– Coś nie tak? Coś ci dolega?

Enrique uśmiecha się i klepie ją w kolano:

– Jestem w siódmym niebie.

Amelia uśmiecha się również, niepewnie, nie rozumiejąc do końca, co mu jest. On widzi jej oczy, jasne, wciąż piękne, i ten wyraz otwartości w twarzy. Obraz Amelii z młodości, jaki zachował w pamięci, zlewa się, nie zacierając, z tą twarzą, zmęczoną i łagodną, którą ma teraz przed sobą. Uśmiecha się szerzej.

– Niczego mi nie brak, Amelio. Jest mi lepiej niż kiedykolwiek.

Nad morzem zapada zmierzch. Wenus z wolna przecina horyzont. Na granatowym, niemal czarnym niebie zapalają się pierwsze gwiazdy.

XVIII

Nie wiem, które z nich zmarło pierwsze. Nie pytałam o to. Może to moje dziwactwo, ale wolę pamiętać ich razem. Mogę sobie na to pozwolić, bo w końcu chodzi o drobiazg, nieistotny dla całej historii, która w tym miejscu się kończy. Śmierć nie jest najgorsza. Najdotkliwsze, najsmutniejsze są te małe śmierci, które spotykają nas w ciągu całego życia: to, że się kocha – i przestaje kochać, pustka, jaka pozostaje, kiedy kochałeś i byłeś kochany, i nagle nic z tego się nie zachowało. Uczucia, które żywili Amelia i Enrique, przetrwały całe ich życie. Okazały się silniejsze niż czas, cierpienie, uraza i gorycz, niż wszystko to, co każe się odsunąć od świata i szukać zapomnienia. Oboje czuli się przepełnieni miłością, która jeśli zdołała pokonać czas, mogła pokonać także śmierć; dlatego nic nie stało na przeszkodzie, by siadywali spokojnie, patrząc w morze, razem, ciesząc się wzajemnie swoją obecnością, tym ostatnim podarunkiem życia.

Prawdopodobnie *on* podsumuje to krótko: sentymentalne, staroświeckie, żywcem wzięte ze starych powieści. Mnie wydaje się szczęściem – za którym tęsknię i którego zazdroszczę. *On* powtarzał mi czasem: nie róbże z tego powieścidła. Chciał powiedzieć: nie fantazjuj, nie mieszaj swoich urojeń z rzeczywistością, nie zmieniaj życia w literaturę...

Ale życie trzeba właśnie wymyślać, żeby czynić je własnym, żeby okazywało się czymś więcej niż ciągiem niepowiązanych ze sobą zdarzeń, bez sensu. To już powiedział Proust – należący skądinąd do *jego* ulubionych pisarzy – jedynym życiem, życiem w końcu odkrytym i wyjaśnionym, jedynym więc życiem rzeczywiście przeżytym, jest literatura... A wyjaśnić życie znaczy spojrzeć poza najbliższą rzeczywistość, poza to, co *on* czy Carlos powiedzieliby czy zrobili w danym momencie. Istnienia pewnych warstw rzeczywistości można się tylko domyślać, można te obszary przeczuwać, postrzegać niewyraźnie – choć z absolutną pewnością. Amelia nie wątpiła, że musi czekać na Carlosa sama, aż do końca, ponieważ w ten sposób zamykał się krąg jej życia, w który Enrique mógł włączyć się harmonijnie, niczego nie niszcząc. Ja natomiast wiedziałam, że muszę spisać tę historię, która ani *go* bawi, ani wzrusza, a pisząc ją, zacząć żyć bez *niego*.

SALSA
książki dla muzykalnych

Dotychczas w serii:

Julio Llamazares *Żółty deszcz*
Mario Vargas Llosa *Zeszyty don Rigoberta*
Ignacio Padilla *Amphitryon*
Gabriel García Márquez *Dwanaście opowiadań tułaczych*
José Carlos Somoza *Trzynasta dama*
Gabriel García Márquez *Nie ma kto pisać do pułkownika*
Manuel Vicent *Chorzy na miłość*
Santiago Gamboa *Oszuści*
Julio Cortázar *Opowiadania [1]*

Gabriel
GARCÍA MÁRQUEZ
Kronika
zapowiedzianej
śmierci

José Carlos
SOMOZA
Dafne znikająca

Gabriel
GARCÍA MÁRQUEZ
Dwanaście
opowiadań
tułaczych

José Carlos
SOMOZA
Klara i półmrok

Manuel
VICENT
Dziewczyna
Matisse'a

Gabriel
GARCÍA MÁRQUEZ
Miłość w czasach
zarazy

Isabel
ALLENDE
Niezgłębiony
zamysł

Marina
MAYORAL
Utajona harmonia

Mario
VARGAS LLOSA
Zeszyty
don Rigoberta

Julio
LLAMAZARES
Żółty deszcz

Ignacio
PADILLA
Amphitryon

José Carlos
SOMOZA
Trzynasta dama

Manuel
VICENT
Chorzy na miłość

Mario
VARGAS LLOSA
Pochwała
macochy

Gabriel
GARCÍA MÁRQUEZ
Nie ma kto pisać
do pułkownika

Santiago
GAMBOA
Oszuści

Wkrótce:
Julio
LLAMAZARES
Sceny z niemego kina

Książkę wydrukowano na papierze
Amber Graphic 70 g/m²

www.arcticpaper.com

Warszawskie Wydawnictwo Literackie
MUZA SA
ul. Marszałkowska 8, 00-590 Warszawa

tel. (0-22) 827 77 21, 629 65 24
e-mail: info@muza.com.pl

Dział zamówień: (0-22) 628 63 60, 629 32 01
Księgarnia internetowa: www.muza.com.pl

Warszawa 2005
Wydanie I

Skład i łamanie: MAGRAF s.c. Bydgoszcz
Druk i oprawa: DRUK-INTRO, Inowrocław